# MALÓN DE CHAIDE

CLÁSICOS CASTELLANOS

795

# MALÓN DE CHAIDE

## LA CONVERSIÓN DE LA MAGDALENA

## II

EDICIÓN, PRÓLOGO Y NOTAS DEL
### P. FÉLIX GARCÍA
(AGUSTINO)

MADRID
EDICIONES DE «LA LECTURA»
1930

Imprenta de la Ciudad Lineal.—Lagasca, 6. Madrid.—Tel. 50.018

## PARTE TERCERA

DEL

# LIBRO DE LA MAGDALENA

Y EL ESTADO SEGUNDO QUE TUVO DE PENITENTE
CONFORME A LA LETRA DEL SAGRADO EVANGELIO.          5

Dicho habemos el estado primero de la Magdalena, que es el que tuvo de pecadora, y a qué término la trajo la hermosura, libertad, riqueza y pocos
años: resta ahora que veamos cómo salió del pecado e hizo penitencia, para que entendamos que el   10
Evangelista no nos contó su ruin vida para no más
que decirla, sino para alabanza suya y para gloria
del Hijo de Dios, que la perdonó, la lavó y amó
tanto. Dice S. Lucas:


I                                                   15


*Ut cognovit quod Jesus etc.* Antes que pasemos
adelante será bien que veamos algo de los secretos
maravillosos de la predestinación de Dios, y esto

8 *la trajo*: es frecuente el caso del verbo en singular con un
sujeto plural.

en una palabra. Espanta ver como Dios llama y
atrae a uno a sí, y a otro lo deja y aparta de sí; a
uno lo saca de su pecado, y a otro lo deja revolcar
en él; a uno, de grandísimo pecador le hace santo;
5 al otro, de muchas virtudes y buena vida, al fin le
deja y se condena; a un S. Pablo, de corchete y porquerón de la justicia le hace apóstol; y a Judas, de
apóstol permite que pare porquerón pàra prender
a Cristo, y al cabo se ahorque. Pues diréisme que
10 hay más méritos en el uno para ser amado, y más
deméritos en el otro para ser aborrecido. Podría
llevar eso algún camino si la predestinación o reprobación la aguardase Dios para después de nacidos estos hombres, y mirando a sus obras los pre-
15 destinase. Mas sale San Pablo, escribiendo a los Romanos, y dice: «Aun estaban Esaú y Jacob èn
las entrañas de Rebeca, aun no eran nacidos, aun
no habían obrado mal ni bien, y con todo eso, por-

---

6  *corchete*, gancho o hebilla; ‹por alusión—dice Covarrubias—
se llamaron los ministros de justicia, que lleuaban agarrados a la
cárcel los presos corchetes, porque asen como estos ganchuelos›.
*Tesoro.*—‹Yo no traigo *corchetes* ni soplones ni escribanito›. Quevedo, *Los Sueños*, 64. Ed. Cejador.

7  *porquerón*. «El ministro de justicia que prende los delicuentes
y los lleva agarrados a la cárcel. Dixose *a perquirendo*, porque estos
andan siempre buscando delincuentes que denunciar a la justicia».
*Covarr, Tesoro.*—«Melchior.—No era para alguazil, que era tuerto.—
*Porquerón*». Lope de Rueda, *Com. Eufemia*, 39. ‹Cla. Cast›.—‹Al
cabo carga un *porqueron* con el viejo alfamar de la vieja.» *Lazarillo*,
223. Ed. cit.

16  *Rom*, 9. 2.

que se cumpliese el intento de Dios y la elección
que había hecho, no por sus obras, sino por sola la
voluntad del que llama, que es Dios, se dijo: El mayor servirá al menor, como está escrito: Jacob amé,
y a Esaú aborrecí». Añade luego S. Pablo: «¿Qué di- 5
remos a esto? ¿Por ventura que se muestra Dios
apasionado? ¿Que hay maldad en Dio..., no;
a Moisén le dijo: «Tendré misericordia d.. que me
apiadare, y seré clemente para quien me pareciere.
Luego no es del que corre, ni del que quiere esta 10
presa de la gloria, sino de aquel de quien Dios tiene misericordia».

El Apóstol teje una larga disputa con los romanos, sobre averiguar este punto de honra y abonar
a Dios porque, desechando a su pueblo, había ad- 15
mitido la gentilidad a su Iglesia. Y disputa galanamente cómo en hacerlo así ni Dios queda por in-
justo, ni su pueblo puede quejarse de que se le
hace agravio. A este propósito trae lo del ollero, a
quien le es lícito hacer de su masa el vaso que le pa- 20
rece, y de una pellada hace un plato, que sirve a la
mesa y esté limpio en el aparador, y de la misma
masa hace una olla, que se entizne y queme al fuego en la cocina. Cierto está que esta masa toda es
una; no vió el ollero más méritos en el pedazo de que 25

4   Malaq. 1. 2.
8   *Exod.*, 33.
14   *abonar*; «Abonar a alguno—dice el Diccionario de la Acade
mia—es salir fiador, responder por él».

hizo el plato que en el que gastó en la olla, sino
sólo que quiso hacerlo así. Pues ¿podráse quejar la
olla y acusar al alfarero porque la hizo para la cocina? Por cierto no. Luego mucho menos podrá que-
5 jarse el hombre de Dios, porque no lo predestinó
para el cielo. Y viéndose metido en este golfo y
abismo, ya que le parece que ha perdido el pie y
llega el agua al cielo, exclama: «¡Oh alteza de las riquezas de la sabiduría y ciencia de Dios, cuán in-
10 comprensibles son sus juicios y qué dificultosos de
hallar sus caminos!» Vánsenos de vuelo los juicios
de Dios. De manera que se remite S. Pablo a los
consejos oscuros de Dios, cuya ciencia cerró para
sí y se nos alzó con la llave.

15 　Muchas pecadoras había en Judea sin la Magdalena, y a ninguna hizo la merced que a ella. Es lo
que el Señor dijo a los judíos de Naamán siro: «Muchos leprosos había en Israel, mas ninguno sanó
sino un gentil; y muchas viudas había en tiempo de
20 Elías, y a ninguna de ellas fué enviado sino a la
pobre saretana. Así que espanta ver cuántos señores, cuántos ilustres había en Jerusalén, cuántos
doctores en la sinagoga, cuántos pontífices en el
templo, cuántos poderosos y ricos se paseaban por
25 las plazas; qué de reyes, emperadores y príncipes

---

14 *se alzó. Alzarse con algo* se usa para significar llevarse alguna
cosa, apropiársela. «Esposa buscamos; no nos *alcemos* con ella».
B.º Avila, *Epist.*, 4.—«De donde con seguridad pudiéramos *alzar*
algún par de capas». M, Alemán, *Guzmán de Alfarache*, 2.ª II, 4.

tenía el mundo, cuando nuestro Redentor se hizo
hombre, y, dejándolos a todos, por lo que su Majestad se sabe, escoge doce pobres pescadores des-
harrapados, las heces y la basura y escoria del mundo. Y de estos doce, *escogidos a tajador*, que suelen    5
decir, todos por su mano, criados a sus pechos, hechos a su doctrina, mantenidos a su mesa, el uno de
ellos se lo vendimia el demonio en agraz, y dice el
el Señor: *Nonne duodecim vos elegi, et unus vestrum
diabolus est?* Yo, dice, ¿no soy el que os escogí, y    10
con todo eso, el uno de vosotros es un diablo? ¡Oh
secretos grandes de tu profunda sabiduría, Dios
mío y Señor mío! ¡Cómo hacen temblar al más confiado y acobardan al más animoso! Veo, Señor, que
llamas a Salomón *tu regalado*, háceslo tesorero de    15
tu sabiduría, mandas que te edifique un templo, y
no lo llevas cuando te hace tales servicios, y llévas-
le cuando adora ídolos, cuando les edifica templos,
cuando se casa con mujeres idólatras. Veo, Señor,
a Judas, que vuelve alegre con los demás discípulos    20
y dice: «Señor, en vuestro nombre aun los demonios nos obedecen», y no le llevas cuando hace mi-

---

5  *a tajador*; ni en Covarrubias ni en Correas he hallado consignada esta frase adverbial, que probablemente tiene la misma acepción que en su origen tuvo el modismo *a destajo*, es decir, «echando la cuenta por menudo, taxando o tasando», como dice Covarrubias, al explicar el vocablo *destajo*.

9  Joan., 6.

15  *tu regalado*. La ed. de Rivad. y la de Valencia traen *tu regalo*.

lagros, cuando dice con S. Pedro; «¿A dónde iremos, Señor, que tienes palabras de vida?», y aguardas y le arrebatas cuando te ha vendido, y se ha echado en el infierno. Judas cae del apostolado y se
5 condena; y el ladrón, boqueando en la horca, con la candela en la mano para dar el alma, diciendo ya el «Credo en este que tengo al lado», se salva. Saul, que no había mejor alma en todo el pueblo de Dios, elegido en rey de Israel de pobre hijo de labrador,
10 es desechado, y un Mateo, cambiador o trampeador, es el escogido. ¿Qué son estos, Señor, sino piélagos inmensos de tu sabiduría, a do no es menester entrar si no nos queremos anegar? Es tu secreta predestinación de las ovejas que tu dices por San Juan
15 «que nadie te las quitará de la mano».

Acuérdome que me contó un religioso siervo de Dios, que había estado en la Nueva España, un caso en que mucho se descubre la certeza de la predestinación divina, y fué que, estando en un monasterio de
20 nuestra sagrada religión, a dos o tres leguas de allí estaba la hija de un cacique, que es como un caballero que acá llamamos. Esta había estado amancebada ocho o nueve años; y como allá los religiosos son los curas y andan a visitar los lugares y predican
25 en ellos, fué nuestro Señor servido de mover el corazón de esta perdida moza. Y al cabo de pocos

---

1 Joan., 6.
17 *Nueva-España.* Sabido es que así se designaba al reino de México.

días, que debió de tardar en hacer memoria de sus pecados, concierta con otras doncellas amigas suyas que se vayan holgando y tañendo sus adufes y panderos por una ribera abajo; y de esta manera las llevó dos leguas que había de donde partieron, hasta el monasterio donde este religioso vivía. Llegando allí, pide que se quiere confesar, y para esto sale este religioso. La mujer confesó muy por entero y con muchas lágrimas todos sus pecados y, habiéndola amonestado y corregido el confesor, y dándole penitencia y aceptándola, acabando de absolverla, reclinó la cabeza sobre las rodillas del confesor y da el alma a Dios y quédase muerta.

¡Oh buen Dios! ¿y qué secretos son estos tuyos? Dime, espantoso Dios, ¿qué te iba en esta alma que la esperaste ocho años, disimulabas sus pecados, dejábasle revolcar en un cieno de torpezas abominables y hacíaste ciego? Y tú, Dios mío, con tu sa-

---

3 *adufes*. «Cierto género de tamboril baxo y quadrado, de que usan las mugeres para bailar, que por otro nombre se llama pandero. Su origen es de la palabra arábiga *aduph*, que significa lo mismo que pandero». *Dicc. de Aut.*—«... tomará María Virgen, figurada en María la hermana de Moisés, el *adufe* de su cuerpo...» B.º Juan de Avila, *Epístol. Espiritual*, pág. 281. A J. de Valdés no le contentaba este vocablo arábigo: «Y assi no digo...*adufe*, sino *pandero*». *Diálogo*, 101.

«Y al son del *adufe*
cantará Andreguela;
no me aprovecharon
madre las hierbas.
                    Góngora, *Rom. Burl.*

biduría aguardabas a poner tu mano en la cura, a
sazón que fuese de más provecho. Y al cabo, cuando a ti, Médico soberano, te pareció que era tiempo
la llevaste presa con un lazo de tu amor, y en oyen-
5 do el *Ego te absolvo*, como si tuvieras miedo de perderla otra vez, la arrebatas y das con ella en tu santa
gloria. Y veo por otra parte, Señor, que otros, después de muchos años de yermo, después de muchos
ayunos y penitencias y soledad, los dejas, por lo
10 que tú, mi Dios, te sabes, y al cabo se condenan.
¿Qué diremos a esto si no dar voces con San Pablo
y decir: «¡Oh alteza de las riquezas de la sabiduría
y ciencia de Dios, cuán incomprensibles son sus
juicios, y qué dificultosos de hallar son sus cami-
15 nos».

He dicho esto a propósito de la conversión de la
gloriosa Magdalena, que tuvo Dios por bien de hacerle esta merced tan particular y dejó a otras muchas pecadoras en sus pecados; y de esto lo mejor
20 es no buscar razón, sino reverenciar y adorar sus
juicios. Una sola cosa diré, y es que hallo una diferencia en los pecadores, que me parece que no
puede nacer sino de la predestinación, esto es, de
ser el uno predestinado y el otro reprobado. Halla-
25 réis unos pecadores que, aunque lo son, pero en
medio de su mala vida tienen un no sé qué, un resabio y semblante de predestinados y de hijos de
Dios, un respeto a la virtud, un asco al vicio, un
pecar con miedo y andar amilanado, un aquesta

vida no es para mí, no me crié yo en esto; al fin
no parece que se les pega esto del pecar. Veréis
otros pecadores tan de asiento, que pecan tan sin
cuidado como si les fuese natural; gente que pecan
a sueño suelto, tan desmedrosos para los vicios, que   5
no aguardan a que los vicios los acometan a ellos,
antes ellos les salen al camino y los acometen. Estos
son de quien dijo Elifaz Temanites, el amigo del santo Job: *Qui bibunt quasi aquam iniquitaten*. Que beben las maldades, como si fuesen agua. Díjolo muy   10
bien; no dice que comen, porque parece que lo que
se come cuesta algo de mascarse, y a lo menos re-
párase en el bocado; mas lo que se bebe pásase fácilmente y sin sentirlo. Pues esto quiere decir Elifaz,

---

4 *gente;* con el verbo en plural. Hay algunos nombres colectivos
que se construyen de este modo. La palabra *gente* es de los colectivos que con más frecuencia se encuentra construída con el verbo
en plural, entre los clásicos. «*Gente* cobarde, *gente* cautiva, entended»
*Quijote*, IV. 45.

5 *desmedrosos.* Otro término que no hallo registrado en el *Diccionario de la Academia*, con ser tan expresivo y exacto. Viene a ser
la forma negativa del adjetivo *medroso* y tiene el valor de *atrevido,
desempachado, osado* para algo. En otra forma podía decirse también,
*tan sin miedo, tan sin reparo*.

9 *Job*, 15.

12 *de mascarse.* Este *de* tiene un cierto sentido final. Pero creo
que tanto este *de* como otros muchos de uso frecuente en los clásicos (*servido de, determinado de*, etc.) se pueden incluir entre los reprobados por Valdés: «Un *de* que se pone demasiado y sin propósito
ninguno: *...esperando de embiar*, adonde estaría mejor, sin aquel *de*,
dezir *esperando embiar*. Y creedme que estas superfluidades no pro-
ceden sino del mucho descuido que tenemos en el escribir en romance». *Diálogo*, 151.

que hay unos pecadores que pecan, comiendo los
pecados; esto es, reparan en ellos, y rumian en el
mal que hacen y reparan en él. Estos son los que
decimos que se les trasluce en el rostro, que deben
5 de ser de los predestinados. Mas hay otros, que pecan tan sin asco y que se tragan los pecados sin
mascar, como quien no hace nada, que parece que
ya dan muestra de su perdición.

Acaece que un hijo de un noble se va de su tie-
10 rra, y por algún desastre viene en tanta necesidad
que ha menester asentar con un villano, para no
morir de hambre; estará arando, y allí entre el arado
y la azada y las herramientas del oficio bajo, le
echaréis de ver en el semblante que nació para más
15 de lo que tiene; y el otro, hijo de villano, entre ellas
mismas se halla tan bien, que le conoceréis que se
nació allí. Y por el contrario, vestid de seda y bor-
dados a un zafio y parece que no le asientan los
vestidos ni nació para ello.

20 Pues lo mismo que hallamos en la naturaleza, esto
es, la misma diferencia se halla en las cosas de la

---

11  *asentarse con*, ya anticuado, ponerse a servicio de otro, o más
propiamente, concertar con alguno para servirle o trabajar en su
casa. También era frecuente decir sólo *asentar con*. «*Asentó* con sus
ojos que cerrasen la entrada a semejantes figuras». Fr. L. de León
*Exposición de Job*, I, 31. Ed. Salamanca.—«*Asentándose* de una parte
y otra los pactos que fuessen convenientes». Solís, *Historia de Méji-
co*, IV, 17.—«Porque, desde el primer día que *con él assentó*». *Lazarillo*, 208. Ed. cit..—«*Assentar con* amo, obligar por assiento a servir con otro». Covarr. *Tesor. de la Leng.*

gracia. Esto se echó de ver muy bien en San Pedro, que, aun entre los ministros de maldad, tiene unos resabios del apostolado donde se había criado que, negando que no conoce al Señor y jurando y per-jurando, no halla en qué le crean. Oía la Magdalena 5 sermones de Cristo, que tenía palabras vivas, gusta-ba de seguirle, y por allí la saca Dios. No hay nin-guno, por perdido que sea, que no le quede un res-quicio por donde Dios le saque de la boca del domonio, si él quiere ayudarse. Quedóle a la Mag- 10 dalena en medio de la perdición esto sólo de aficio-narse al predicar de Cristo, que tenía palabras en-cendidas: *Nonne verba mea sunt quasi ignis combu-rens, et quasi maleus conterens petras?*, dice el Señor por Jeremías. Mis palabras son como fuego, porque 15 encienden los corazones, consumen todo lo terreno que tienen, y renuevan y apuran un alma, y la acri-solan y le gastan las heces y escoria de los vicios, y son como maza de hierro con que se desmenuzan y quebrantan los peñascos, porque rompen los cora- 20 zones de guijarro y berroqueños y los deshacen en penitencia.

---

15 *Jerem.*, 23.

17 *apurar*, afinar, aquilatar. «Como se suele probar y *apurar* el oro y la plata en el horno». Fr. Luis de L., *Expos. Job*, 37. Ed. cit. «Y será un purgatorio con que quedéis *apurada* delante de Dios» B.º Avila, *Epíst.*. 256

## II

Mas aunque me parece que para materia tan alta,
y que el juicio humano barrunta tan poco de ella,
bien bastaba lo dicho, con todo esto, son los gus-
5 tos humanos tan mal contentadizos, que huelgan
de escarbar, y si pudiesen, llegar al cabo en las
cosas en que ven mayor dificultad. Y no miran lo
que allá dijo el otro:

*Dum petit infirmis nimium sublimia pennis*
10 *Icarus, icarias nomine fecit aquas.*

Que vuelto en nuestro lenguaje dice así:

Mientras con flacas alas alza el vuelo
el mal regido joven en su daño,
y con lascivo juego rompe el viento,
15 gozoso de cortar el trasparente
y lucido elemento de las aves;
algo más confiado que debiera,
pasaba con un curso presuroso
sobre las puras ondas cristalinas,
20 que a la sazón estaban sosegadas.

---

6 *escarbar*, es decir de investigar e inquirir curiosamente.
9 Ovidio, Lib. II. *De arte Amandi.*

Y mientras menos cauto se levanta,
imitando a la armígera guerrera
águila, que los rayos le ministra
a Júpiter airado allá en el cielo,
a la región ardiente se acercaba,                       5
no hecha para trato de mortales.
El fuego comenzó a hacer su oficio,
y a derretir la cera mal segura:
y las ajenas plumas desatadas
cayeron, esparcidas por las ondas.                     10
Ya el miserable joven sacudía,
con desplumados brazos el delgado
elemento, y en vano procuraba
sustentar el pesado cuerpo en alto.
Al fin, cayendo en las profundas aguas,                15
de ninfas y nereides recibido,
bajando a sus moradas cristalinas,
en columnas de hielo sustentadas,
dió nuevo nombre al mar, y fué llamado
*Icario*, por ser *Icaro* su nombre,                   20
del mal logrado mozo.

Así les acaece a muchos que, queriendo levantarse a la especulación de las cosas soberanas, caen
en muchos inconvenientes. Por esto aconsejaba Salomón, *Altiora te ne quæsieris, fortiora te ne scruta-*   25
*tus fueris: sed quæ præcepit tibi Deus illa cogita sem-*
*per, et in pluribus operibus ejus ne fueris curiosus.*
No busques, hijo, ni te canses en escudriñar las cosas altas y que son más fuertes que tú. Díjolo bien
porque, como dice Aristóteles, el sentido y lo sen-     30

---

3   *ministra* por suministra o sirve.
25  *Eccles.* 3.
30  Aristót., *Eth.*

sible se han de proporcionar, y *excellens sensibile lædit sunsum*, si el objeto es fuerte daña la potencia del sentido, como lo suele hacer el estruendo y furia de la artillería, y los poderosos truenos que
5 dejan a un hombre sordo; también el sol deslumbra y daña la vista con la vehemencia de su resplandor. Así lo hace la gran luz divina, que encandela los ojos de nuestro entendimiento con la pujanza de sus rayos; y por eso dice el Sabio que no escudri-
10 ñemos las cosas más fuertes que nosotros, porque, *Qui scrutator est majestatis opprimetur a gloria*. El que escudriña la Majestad de Dios será oprimido con la demasiada gloria.

Y con todo esto, los que han leído esto que has-
15 ta aquí he dicho de la predestinación no quedan contentos, y dícenme que diga esto mismo algo más extendido y claro, de suerte que tengan algún consuelo los escrupulosos, que dan en un desatino de si están predestinados o no. Y como nos dice S. Pa-
20 blo: *Græcis ac barbaris, sapientibus et insipientibus debitor sum*. Soy deudor, dice, a griegos y bárbaros, sabios y a ignorantes, para enseñarlos a todos; así ya que no soy San Pablo, ni tal que pueda enseñar a nadie, con todo eso, quiero condescender
25 con lo que se me pide y decir esto más de propó-

---

7    *encandela*, como deslumbra o ilumina fuertemente. «No puedes ver de *encandelado*». *La Celestina*. Tom. II. pág. 19.—Cejador dice que está tomado del cazar con luz debajo de una caldezuela. *Ibid.*
20    *Prov.*, 25.

sito, aunque sé que, después de muy dicho y muy pensado, tampoco quedarán contentos. Comencémoslo pues así. Veamos: ¿qué razón hay para que una Magdalena pecadora, infame, perdida y sin nombre, la traiga Dios a sí, la llame, la lave, la alabe y justifique, le dé la gracia y la salve, y deje a otras muchas que habría entonces, y hay ahora, menos ruines, no tan profanas, más honestas y que han pecado harto menos? Porque siendo las unas y las otras pecadoras, y por la misma razón todas enemigas, y que la justificación no se puede merecer por algunas obras, porque como dice S. Pablo, «si por las obras se justificase alguno, ya entonces la gracia dejaría de serlo»; y en otro lugar: «Al que obra, dice S. Pablo, el salario que se le da por la tal obra, no decimos que se lo dan de gracia, sino de justicia, y que es deuda que se le debe». Usó aquí el Apóstol de la fuerza de este término *gracia*, como si dijera de balde y sin merecerlo. Como decimos: «Hanme dado esta pieza de balde, porque no me han llevado nada por ella». Y no toma este término por alguna calidad positiva que se llame gracia. Pues si la gracia con que se habían de justificar las pecadoras de quien hablamos, no se puede merecer, y tan poco mérito tenía la Magdalena como las otras, y por ventura menos, antes ninguno,

---

12   *Ad. Rom,,* II, 2.

15   *Ad. Rom*, 4, 2.

26   *por ventura*, quizá, acaso.

y muchos más deméritos, ¿qué es la razón que la atrae y la justifica Dios y se deja a las otras? Y ¿porqué salva a un ladrón, que está ya boqueando para espirar y con la candela en la mano, diciendo el

5  *Credo en este que tengo al lado,* y de la horca da consigo de pies en la gloria, y a Judas le condena, y de la mesa da en la horca, y del apostolado para el infierno?

Para este secreto tan alto, digo que lo pudiera

10 tratar como lo platican los teólogos en las escuelas; mas fuera cosa prolija y escura y no buena para andar en manos del vulgo; y así no trataré aquí de la predestinación ni reprobación que Dios hace de los hombres, sino sólo de la justificación y del de-

15 jar a uno en su pecado. Y esto con la modestia que se debe a misterios, que con su carga han hecho gemir a bravos gigantes debajo de su peso, y muchos sabios y doctores famosos han sudado con la gran carga, y en pocas o ninguna parte se yerra

20 con más peligro.

Digo, pues, que todos los santos Doctores concuerdan en que Dios por su libre y mera voluntad, determinó de salvar hombres y darles los

---

1  *¿qué es la razón qué?,* o sea por qué razón, qué razón hay para, etc.

6  *da ae pies.* Modismo muy usado particularmente en el lenguaje vulgar. «*Dar de pies,* como gato, o caer siempre de pies, se dice de los que salen bien de empresas difíciles». Correas, *Vocab.,* 552. Ed. Mir. 1924.

15  I *Ad Timoth.,* 2.

medios necesarios para conseguir este tal fin de
salvarle; y para esto no tuvo respeto a los méritos, ni a las obras de alguno de ellos, sino que
por eso dijo S. Pablo: «Dios quiere, que todos los
hombres se salven», porque no es envidioso, y no 5
parece que era conforme a la buena condición y
gran piedad de Dios criar algunos, no a fin de sal-
varlos, sino de reprobarlos, sin haber en los unos
más méritos que en los otros. Y dar ser a quien no
lo tiene para de intento condenarle, con que dice el 10
mismo Señor en el Evangelio, «que le fuera mejor
a Judas nunca haber nacido que ser y condenarse»,
parece crueldad y que pueda decir a Dios: «Señor,
¿qué os había yo hecho para que antes que viésedes
pecados en mi dijésedes: Este quiero para el infier- 15
no?» Lo cual no se ha de pensar de la infinita bondad y piedad suya, que es más pronto para perdonar que para castigar, aun después de ofendido,
cuanto más antes de ofenderle. Ahí pecaréis uno

---

10  *con que*, tiene el valor de la causal porque, pues, o por lo que.
Muy frecuente.

> «No el tiempo injurioso
> con la vejez te daña.
> y eres sabia, *con que* eres
> de tierra procreada».

Villegas, Erót., y Am., 295.

«Aquel fructo atoxicó nuestro cuerpo, *con que* viene la muerte».
Fr. L. de León, *Nombres*, II, 212.

19  *Ahí pecaréis uno y muchos pecados*. Parece una tautología o repetición inútil este acusativo interno *pecados*, idéntico a la radical

y muchos pecados, un año y otro, y hay paciencia en Dios y espera para eso y esotro; pues ¿cómo me querrá señalar para el fuego, sin habérselo merecido? Y si determina de condenarme, es porque ve en mi una final impenitencia, que yo le pondré, con la cual le impediré la infusión de la gracia final, que me había de dar para salvarme. Porque como dice mi padre S. Agustín: «Dios no mira cuáles somos ahora, sino cuáles seremos al fin de la vida; porque, cuales entonces nos hallere, tales nos juzgará», como dice la regla de las leyes, que si al fraile le halla en hábito de soldado, por soldado lo cuenta la ley. Anteviendo Dios que Judas, al cabo de la vida, no había de admitir la gracia ni ablandarse con aquella dulcísima y quejosa palabra del mansísimo cordero la noche de su Pasión, cuando besándole en el rostro le dijo: «Amigo ¿a qué veniste?», y luego; «¡Ah Judas, que con un beso de paz vendes al Hijo del hombre!»; viendo Dios esta su final impenitencia, y que había de morir en ella y de su voluntad, escogiendo una horca en que acabase, por esto le reprobó, porque, como habemos dicho, mira solamente a lo que seremos al cabo de la vida.

---

del verbo; sin embargo es frecuentísimo en el estilo bíblico, cuando se quiere determinar o reforzar más la idea expresada por el mismo verbo. En Fr. L. de León se encuentran bellísimos ejemplos.

  8   S. Agust., *De predestinatione Sanctorum.*

 17   Math., 26.

 18   Lucœ, 2.

Por esto en el Evangelio nos manda con tanto cuidado que velemos, que no nos durmamos, que estemos faldas en cinta. Así nos lo aconseja, y aun manda por S. Lucas, diciendo: «Mirá que andéis ceñidos, poneos los cintos», como si nos dijera más claro: «Mirá que es tiempo de guerra, y que *militia est vita hominis super terram*». La vida del hombre no es otra cosa sino una continua batalla que tenemos mientras vivimos y se acaba con la muerte. El campo donde se da es este mundo, los soldados son todos los hombres, los enemigos son los vicios, y el demonio, mundo y carne; lo que se conquista es el cielo, y quien le gana es el que pelea como valiente. Pues el soldado no peleará bien con faldas largas, por esto mandaba el Señor dejar la hacienda, la honra, los hijos, la mujer, el padre, madre, hermanos, y aun a nosotros mismos; porque ¿qué otra cosa son las que habemos nombrado, sino faldas que nos vamos pisando, y que nos arrastran y embarazan para la batalla?

Y de aquí nace que, así como el soldado que

---

3 *faldas en cinta*. «*Poner faldas en cinta*, determinarse a hacer alguna cosa con mucha diligencia tomada la semejança de los que auían de caminar, que se enfaldauan recogiendo las faldas en la cinta, como agora hazen los religiosos que caminan a pie». Covarr. *Tes de la Leng Cast.*—«A medio lado, abiertas las piernas, el pie ysquierdo adelante puesto en huyda, *las faldas en la cinta*, etc.» *La Celestina*. Tom. II. pág. 95. Ed. cit, 1913.

4 Luc., 12.

7 *Job.*, 7.

más larga ropa llevase, menos bien pelearía y menos correría, y más ligeramente tropezaría y caería
y le matarían sus enemigos, y, por el contrario, el
más faldicorto estaría más desembarazado y suelto,
5 y pelearía mejor y vencería con mayor presteza,
así, ni más ni menos, los ricos y poderosos, como
van cargados de faldas de haciendas, de estados de
honra y ambición y de muchos contentos, cuando
quieren arremeter a la batalla, písanse la falda larga
10 de la hacienda y hácelos dar de narices en la avaricia; y el otro tropieza en la falda de los hijos y cae
de ojos en la tiranía, por dejar a sus hijos en estado
y grandeza, y así de todo lo demás. Pero el pobre
tiene cercenadas las faldas, sin hacienda, sin ami-
15 gos, sin ambición y sin estado; corre, pelea, vuela y
pasa por las cosas de la vida, triunfando del mundo y de cuantos hay en él. Por esto dice Cristo:
*Sint lumbi vestri præcincti.* Mirá que andéis bien
ceñidos. Y es lo mismo que si dijera: «Mirá que pro-
20 feséis la malicia, pues el soldado no ha de dejar las
armas mientras dura la batalla».

Tomó el Señor la metáfora de lo que entonces se
acostumbraba en la guerra, que los que se asentaban debajo de bandera así como ahora los españo-

---

12  *Cae de ojos.* «*Caer de ojos*, es lo mismo que tropezar por
bajarlos, o que *dar de ojos*, igual que tropezar y caer». Vid. Correas,
*Vocabulario*, págs. 543 y 552. Ed. cit.

24  *asentaban debajo de bandera*, es lo mismo que se alistaban en
el servicio militar.

les traen la banda de carmesí y los franceses la
blanca, y conocemos en su traje que son soldados,
así entonces se echaban o ceñían el balteo militar,
que llamamos el cinto o tahelí, en señal que profesaban las armas y tiraban sueldo del emperador   5
romano o de otro rey. Y, cuando ya cansados de
la milicia, que se habían envejecido en élla, querían
retirarse a su rincón y descansar en su vejez, des-
ceñíanse el cinto o tahelí, en señal que renunciaban
a la milicia y armas, y quedaban libres del home-  10
naje que prometían al capitán, cuando se ceñían.
A este talle dice Cristo que nos ciñamos, esto es,
que profesemos la guerra. Y así como sería traición
que, estándose dando la batalla, el soldado se sen-
tase muy de su espacio y arrollase las armas y se  15

---

3   *balteo militar*: cíngulo, insignia de oficial, que se usaba antiguamente. Del lat. *balteus*, ceñidor.

5   *tiraban sueldo*, es decir, cobraban sueldo: usábase frecuentemente *tirar* en este sentido metafórico de *devengar* o *percibir*. «Qui-
se responder a lo que mi amo debía, pues *tiraba* sus gajes y comía
su pan como lo deben hazer» etc. Cerv., *Coloquio de Cipión y Berganza*, II, 253.

12   *A este talle*, de este modo.

15   *Muy de su espacio* es semejante a la frase *muy de su gusto*
o *muy de reposo*, tan frecuentes en los clásicos. «Y allí estuve *de
reposo*, olvidado de la importancia del negocio». P. Zárate, *Discursos
de la Paz Crist.* III, 9. Ed. Rivad.—«Y a la tarde, cay de siesta, *de
nuestro espacio*, sin que la noche aunque sobrevenga lo estorbe»
Fr. L. de León, *Nombres*, I, 256. Ed. cit.

15   *arrollase*, es lo mismo que liase o recogiese las armas. «*Arro-
llar*, coger alguna cosa y envolverla a modo de rollo». Covarr.,
*Tesoro*.

echase a dormir sobre ellas, así lo es mucho mayor
que mientras dura la guerra de esta vida, el cristiano arroje las armas de su pelea, y se duerma en el
camino de la penitencia. Y como merecía gran cas-
5 tigo el soldado que a lo mejor y más fuerte de la
batalla, y cuando más sangre se derrama y más
gente cae de entrambas partes, entonces llegase él
al capitán, que está lleno de sudor y polvo y sangre
y se desciñese el cinto y le dijese: «Señor, tomad
10 vuestro tahelí que me distes, que no le quiero, y re-
lajadme el homenaje que os hice», y diciendo y haciendo se desciñese, así también, el que viendo a
su capitán Cristo en una Cruz sudando, cansado,
sangriento y muriendo, llegase a no querer pelear
15 y se desciñese, esto es, no siguiese a Cristo, este
tal es digno de grandísimo castigo. Pues porque no
se llegue a tan descuidado término nos manda el
Señor estar siempre ceñidos, y da la razón diciendo:
«Bienaventurado el soldado que cuando el capitán
20 mandare tocar a retirar, que ya es acabada la batalla,
le hallare ceñido», esto es, peleando y con armas en
las manos, porque, como le ha de juzgar como le hallase al punto último, si le hallare ceñido, darle ha
el triunfo y el premio del vencimiento; pero si dor-
25 mido y desceñido, castigarle ha como a mal soldado, porque dejó el cinto antes de acabar la guerra.

En el tercer *Libro de los Reyes* se descubre cómo

---

27   *Lib. Reg.*, III, cap. 10.

ceñir y desceñir el tahelí o cinto, que en latín se llama el *balteus militaris*, era propio de soldados, y que
el ceñirle era profesar la milicia, y el desceñirle era
después de acabada la guerra. Cuenta la Escritura,
que Benadab, rey de Siria, determinado de hacer      5
guerra a Acab, el maldito rey de Israel, hizo un po-
derosísimo ejército; llevaba consigo otros treinta y
dos reyes, que no se ha de entender, que lo fuesen
como lo son los de ahora, pues poca tierra era la
que tenían para tanto rey, y allende de eso no es      10
conforme a razón, que tantos reyes se moviesen de
sus reinos a acompañar a uno solo, sino que eran
señores libres como son los de Alemania e Italia.
Y de esta manera se entienden los treinta y uno
que mató Josué en la conquista de la tierra de      15
promisión; porque toda ella junta, cuanta todos los
treinta y uno señoreaban, apenas hacía un buen
reino, pues dice fray Brocardo teutónico, el cual
paseó la tierra de promisión diez años y escribió
en ella el año de 1283, que su anchura es desde el      20
Jordán al mar Mediterráneo, por veinte y seis leguas; su largura desde Dan, junto a las raíces del

---

10    *y allende de eso*, además de.—«Y aun por esto *allende* de lo
que dicho tenemos, le llama Dios Pastor», Fr. L. de L. *Nombres*,
I, 154.—«En Sicilia, *allende* de lo dicho, muerto Dion y vuelto Dio-
nysio del destierro». P. Mariana. *Hist. de España*, III, 209.—«*Allende* de otros muchos y buenos maestros». A. Valdés, *Diálogo de las
cosas* etc., 131.

20    *el año 1283*. La ed. Rivad. trae 1583, que evidentemente está
equivocado.

Monte Líbano, cabe Cesarea de Filipo, hasta Bersabé, que es Giblin, hacia el ábrego, tiene ciento veinte leguas: esta es la que se llama tierra de Canaán. Verdad es que las dos tribus, la de Rubén y la de
5 Gad, y la media de Manesés, que fueron las que rogaron a Moisés que les diesen en suerte la tierra que estaba antes de pasar el Jordán, por ser buena para ganados y por tener ellos muchos, esta tierra que estas dos tribus y media ocupaban no entra en
10 la que habemos dicho de las ciento veinte leguas, ni en lo que se llamaba tierra de Canaán, y tenía de largo veintisiete leguas. Y dice fray Brocardo que no sabía que tan ancha fuese.

De suerte que, ayuntado a lo largo de toda junta,
15 eran ciento cuarenta y siete leguas, que apenas hacen un mediano reino; y así se entenderá que eran señorcetes y no reyes como los de ahora, sino como los duques y condes y marqueses de ahora. También habemos de decir lo mismo de los santos Re-
20 yes Magos, los cuales, según la larga tradición que tenemos y según lo que los santos antiguos y la Iglesia canta y los pintores señalan, los llamamos *reyes*. Digo que no lo fueron, sino señores libres,

---

2 *ábrego*. Viento del sudoeste, tomado aquí para designar el mismo punto o dirección. «*Abrego*, nombre de un viento que corre de Africa entre el austro y el céfiro.» Covarr. *Tesoro*.

5 *Lib Num.*, cap. 32.

14 *ayuntando*, reuniendo. «Contra los tres principales, no s'*ayunten* de consuno». Arcipreste de Hita. *Libro del Buen Amor*, p. 251. «Clás. Cast.» ed. Cejador.

que los persas, donde por ventura había muchos
así, y los caldeos llamaban *sátrapas*. Y no es menester tomar tan en su rigor este nombre de *rey*
para los Magos, ni matarse mucho en averiguar si
lo fueron o no.                                                     5.

Volvamos ahora a nuestro primer propósito. Digo que el rey de Siria vino sobre la ciudad de
Samaria, cabeza del reino de Israel, con un grueso
ejército y con treinta y dos señores que le acompañaban. Llegado y asentado su real, despachó    10
un trompeta a Acab, el rey de Israel, que llegando le dijo: «El rey de Siria, mi señor, dice
que bien sabéis que el oro y plata y dinero que tenéis en vuestra casa, y vuestras mujeres e hijos, y
todo lo demás, es suyo y se lo debéis de derecho;   15
y así quiere que sepáis que mañana enviará sus
criados, y entregadles vos todo lo que tenéis en
vuestra casa, para que ellos escojan lo que mejor
les pareciere y lo lleven al rey mi señor». Turbóse
bravamente el pobre de Acab, volvióse a los caba-   20
lleros que allí estaban, díjoles: «Mirá, por vuestra
vida, qué achaques busca el rey Benadab contra mí,

---

1 *donde; entre los cuales*, sería la construcción recta; *donde* está
concertando intencionalmente con Persia.

17 *entregadles*, por les entregaréis.

20 *bravamente*, adv. para indicar muy mucho, con exceso; a veces encierra un sentido irónico, como cuando se dice *bravamente
hemos comido* o *bravamente ha llorado*.

22 *achaques*, es sinónimo de pretextos. «O con *achaque* de hacer
ellos [los amigos] alguna escriptura». B.º J. de Av. *Epist. Esp.*, p. 166.

que envía por mis hijos y mujeres y por mi hacienda. Ved qué os parece que le responda». Conclu-
yóse entre todos los del consejo que la respuesta fuese así: «Andad, decid al rey que se acuerde de aquel
5 refrán que dice: *No se jacte tanto el que se ciñe el
tahelí como el que se lo desciñe:* he aquí lo que buscábamos.» Quiso decirle: «No cante la gala antes de la

---

«Clás. Cast.».—«Otras veces de día llegaba a la puerta *en achaque*
de comprar huevos». *Lazarillo,* 82.—«*Achaque,* la escusa que damos
para no hacer lo que se nos pide o demanda: de do nazió el proverbio, *achaque al viernes para no ayunar*». Cov., *Tesoro.*

7 *no cante la gala,* es decir, no se ensalce o gloríe.—«Y si a
esto se junta el ser verdadero, yo *cantaré la gala* al vencimiento de
haber acertado en cuanto he dicho». Cerv., *Novelas Ejemplares. La
Gitanilla.* Tom. I. p. 55. «Clás. Cast.» Ed. R. Marín. —*Cantar la gala.* —dice R. Marín, ibid.— a una persona o cosa es ensalzarla como
la mejor y más digna de elogio.—Pedro de Espinosa en un *Soneto
a la Asunción de la Virgen María:*

> «Echáronse a sus pies los serafines,
> *Cantáronle* los ángeles *la gala*
> Y sentóla a su lado el Verbo santo.»

Quevedo en su *Memorial al rey don Felipe IV:*

> «¿Qué honor, qué edificios, que fiesta, qué sala
> Como un reino alegre que os *cante la gala?.*»

Que, en efecto, se cantaba o gritaba *¡A la gala, a la gala!* para
aplaudir y celebrar la maestría o mérito de alguno en competencia
de otros, se hecha de ver por un pasaje del obispo Guevara, en su
*Menosprecio de corte y alabanza de aldea* (Valladolid, Juan de Villa-
quirán, 1539) cap. XI: «Uno de los grandes desordenes que ay en
las cortes de los príncipes es que más dan al chocarrero, porque
dixo una gracia, al truhan porque dixo *a la gala, a la gala,* al bien
hablante porque dize una lisonja..... que a un criado que sirve toda
su vida». Ed. cit. 166.—«Le están *cantando la gala* porque sale
victorioso». Francisco Aguado, *Cris.,* XVII, IV. *Ibid.*

victoria; no se gloríe el que ha de dar la batalla,
como lo haría el que ya la hubiese vencido, porque
los sucesos de la guerra son inciertos y podría su-
cederle el sueño del perro. He aquí cómo por el
ceñido se entiende el que pelea, y por el desceñido   5
el que ya ha alzado la mano de las armas. Y he aquí
como nos quiere dar a entender Cristo que, pues
en este mundo siempre hay guerra, que siempre
peleemos y traigamos las armas en las manos.

---

4  *el sueño del perro.*—«*Volviósele el sueño al perro*, por salir al revés lo que se pensaba, como el sueño del perro». Correas, *Voc.* 510.
Covarrubias, a propósito de este dicho proverbial, trae la siguiente
anécdota: «Soñaua un perro que estaba comiendo un pedaço de carne y daua muchas dentelladas, y algunos aullidos sordos de contento. El amo viéndole desta manera, tomó un palo y dióle muchos
palos, hasta que despertó y se halló en blanco y apaleado». *Tesoro
de la Leng. Cast.*

Bien sé que también quiere decir que nos pongamos en traje de caminantes, pues es así que no tenemos aquí ciudad cuya vivienda sea perpetua,
5 antes vamos buscando la del cielo, como lo dice el Apóstol. Y así dice él mismo de los padres antiguos, que los traía Dios peregrinando, en señal que eran huéspedes y peregrinos sobre la tierra, que caminaban a la patria verdadera. Así, cuando quiso
10 sacar Dios a los hijos de Israel de Egipto, mandóles aquella noche antes de la salida que comiesen el cordero en pie, con báculos en las manos, las faldas en la cinta, calzados y puestos a punto, como gente que había de partir y caminar a la tierra de promi-
15 sión. Pues este mismo apercibimiento quiere Cristo que tenga el cristiano y que siempre esté en vela, porque no sabe en qué punto le tocarán al arma y a la puerta y vendrá el Señor a pedirle cuenta de la vida. Y dícelo por esta metáfora *de estar ceñidos*,
25 como si dijese: «Mirad que no os durmáis, no os

---

6   *Ad Hebr.*, 13 y 11.
10   *Exod.* 12.
13   *puestos a punto*, dispuestos, prontos.

echéis a dormir, estad siempre en vela». Y que quiera decir esto, vese porque el que tiene puesta la
petrina, vestido está del todo. Y dice luego: «Dichoso aquél a quien hallare el Señor velando, que
así lo juzgará cual lo hallare en aquel punto».        5

## IV

Volviendo pues a nuestro propósito, decíamos
que Dios, sin tener respeto a méritos, quiso salvar
hombres y darles su gracia y su gloria; mas a nadie
quiere condenar sin culpa. Así, de nuestra perdi-
5 ción a nosotros nos carga Dios la culpa por el profeta Oseas, diciendo: «Tu perdición, ¡oh Israel! solamente te nace de ti mismo, tú te tomas el daño
por tu mano, tú vuelves contra ti el cuchillo; mas
10 el favor y socorro y la salvación de mí te ha de
venir». Y si sin culpa me condenase, no podría de-
cirnos que de nosotros viene, antes le pudiéramos
decir: «Por cierto, Señor, que no nos viene sino de
Vos, pues sin ocasión nos hicisteis para el infierno».
15 Así, dicen muchos de los teólogos, preguntando
que cuál es la causa verdadera de nuestra condenación y reprobación, por la cual nos desecha Dios,
responden que no es sólo el pecado original, porque según eso, pues todos nacen con él, todos se-
20 rían reprobados y se condenarían; ni tampoco los
pecados contraídos con el original, porque a ser esa
la causa, no fuera predestinado San Pedro, ni Da-

7 Ose., 13.

vid, ni San Pablo, pues nacieron con el pecado original y tuvieron otros actuales sin él, sino dicen
que los pecados, juntamente con la voluntad de
Dios, esa es la verdadera causa de nuestro infierno.
Y decláranlo así: peca Judas y Caín y Esaú y San 5
Pedro y David y Aarón; todos estos seis están en
pecado y son iguales en ser deudores a un mismo
Señor y acreedor que es Dios; ya éstos merecen el
infierno por sus pecados. Dios, como Señor y como
a quien todos deben, y como quien de su hacienda 10
puede hacer lo que fuere servido, sin que nadie le
pida cuenta de las obras de su voluntad, y sin que
su Majestad esté obligada a darla, dice: «Yo quiero
de estos seis que los tres me paguen, y a los otros
tres les quiero remitir la deuda. Yo quiero hacer 15
misericordia con los unos y no con los otros, pues
a nadie la debo». Dios entonces con los unos se
muestra misericordioso, con los otros justiciero y
con ninguno apasionado; así como vos con vuestros deudores lo podríades hacer, que, aunque per- 20
donéis a los unos y cobréis de los otros, no se
pueden quejar de vos, pues al fin os deben vuestra
hacienda y de ella podéis hacer a vuestro gusto.

He aquí cómo ese no acudir Dios a hacer misericordia con Judas, juntamente con sus pecados, di- 25

---

24 *ese no acudir*. Es clásica y frecuentísima esta sustantivación del
infinitivo. «La continua falta de mi salud me haze faltar a V. M. en
el escribirle». B.º J. de Av. *Epíst. Esp.*, p. 41.—«Con quien tan largo
te ha sido en el hacer de las mercedes». Granada, *Guía de Pec.*, I,
XV, 3. *Ibid.*

cen los teólogos que es la total y verdadera causa
de su reprobación o condenación. Y si alguno dijere
que, en alguna manera, parece Dios aceptador de
personas, pues siendo todos obligados a la misma
5 deuda la perdona a los unos y tiene misericordia de
ellos, y la ejecuta en los otros hasta la última blanca,
a este tal respóndale San Pablo por mí, que, escribiendo a los romanos, dice: «¡Oh hombre!, ¿y quién
eres tú que te atreves a responder a Dios? ¿Por ven-
10 tura dirá la olla al alfarero por qué me hiciste olla
y no fuente?» ¿No tiene por ventura poder el ollero
de hacer de su barro un vaso para honra y para que
sirva a la mesa, y otro para afrenta, esto es, para que
se queme en la cocina y sirva de oficios viles? Sí
15 por cierto. ¿Pues cuánto más lo podrá hacer Dios?
Añade luego el Apóstol: «Y queriendo Dios mostrar su ira, (que aquí se toma por venganza), y mani-
festar su gran potencia, sufrió en mucha paciencia
los vasos de ira, acomodados para la perdición, por
20 mostrarse así las riquezas de su gloria en los vasos
de misericordia que preparó para la gloria», etc.

De este lugar de San Pablo se nos pone en entre-
dicho para disputar semejantes cuestiones. Porque,
¿quién eres tú, que te pongas en cuenta con Dios?
25 ¿Ha partido por ventura contigo el imperio? ¿Háte
hecho su consultor? Calla, teme y reverencia los
profundos secretos de Dios. Sólo te digo para tu

---

8   *Ad Rom.*, 9.

consuelo, que adviertas este lugar en el cual de ca-
llada San Pablo nos da gran ánimo para esperar
nuestra salvación, que por sola nuestra culpa nos
condenaremos; porque dice que, queriendo mostrar
su ira, que se toma por venganza, y en Dios al efecto    5
llamamos con el nombre de su causa. Y así como
cuando tenemos ira contra quien nos injurió, nos
vengamos si podemos, y la venganza es el efecto de
la pasión de la ira que tenemos, así, ni más ni menos, cuando Dios castiga y venga en nosotros las   10
ofensas hechas a su Majestad, decimos que se enoja
y que tiene ira, con no haber en Dios estas pasiones. De manera que dice que quiso mostrar el rigor
de su castigo; luego síguese que presupone culpa
en el castigado; y esta culpa es el pecado que deci-   15
mos que se supone para la condenación de Judas.

Dice más: que sufre con gran paciencia los vasos
dispuestos para perdición; no dice que Dios los
dispuso, sino que ellos por sus pecados se hicieron
aptos para ello. Que parece que siempre San Pablo   20
va sacando a Dios de sospecha de apasionado por
alguno, y que siempre va cargando la culpa en el
que se condena; y por esto lo espera con tan larga
paciencia, como para mostrarle que hace Dios lo
que está de su parte, para que el pecador se vuelva   25
y se convierta, se enmiende y haga penitencia, y no
lo obligue a que ejecute en él el rigor de su justicia.
Por esto esperó a Faraón tantos compases, le dió
tan despacio las plagas y los azotes, que comenza-

ron en junio, según los hebreos, y se acabaron en marzo, que son diez meses, cada mes la suya; y dicen que esto fué porque solos otros diez meses duró el ahogar los egipcios a los niños hebreos, y
5 así los azotó diez meses, dándoles la pena del talión, y que desde Moisés ninguno fué ahogado después de allí adelante. Y lleva mucho camino, que duró muy poco y murieron pocos, pues tan crecidos y numerosos estaban cuando salieron de Egipto, e
10 iban bien cargados de hijos.

Y cuando San Pablo en el lugar de arriba habla de los vasos escogidos con quien usó de misericordia, dice que Dios los dispuso y aparejó, que parece que clarísimamente nos advierte que son para sal-
15 var y predestinar a los que quiso, y a aquellos con quien le pareció hacer misericordia, no tuvo cuenta con méritos, sino él lo quiso y lo hizo así, sin que el hombre pusiese nada de su parte. Mas cuando habla de los malos, no dice que Dios los dispuso ni
20 dedicó para el infierno, sino que ellos por sus peca- dos y con sus ruines obras se fueron secando y tos- tando para arder en el fuego. Llama también a los buenos muestra de las riquezas de la gloria de Dios, y que en ellos la manifiesta, y toma aquí gloria por
25 misericordia, porque la mayor alabanza de Dios le nace de las misericordias que hace con los misera- bles de los hombres.

---

5 *pena del talión.* «Pena en que se impone al delincuente un daño igual al que hizo y de la misma naturaleza». *Dicc. Acad.*

# V

Todavía queda una manera de escrúpulo acerca de lo dicho, y es, que si el ollero puede hacer de su barro lo que quiere, y mucho mejor Dios de sus criaturas, al fin la olla no es capaz de honra ni le duele el quemarse, ni fué jamás ordenada para otro más honrado oficio, ni podría servir para otra cosa, y, al fin, que se pierda o se gane, importa poco; mas el hombre es capaz de honra y puede hacer de él lo que Dios quisiere, y si lo quiere para el cielo, es propio para allá; si para que le alabe, hacerlo ha bien; si para que le ame, hállaselo hecho; ¿pues por qué querrá sin más echar a perder a este tan noble y tan honrado animal? Que, según San Pablo, parece que porque quiere los hace ollas para la cocina del infierno, y tras eso os pone una mordaza en la lengua con que os quita la licencia de quejaros. A esto digo, que no hay por qué desanimarnos por lo que aquí dice San Pablo, que podría ser que el Apóstol

---

2   Continúa exponiendo el pasaje de San Pablo a los romanos en su *Epíst.*, cap. IX.

hiciese aquí esta consecuencia. Si el vaso que no es capaz de honra ni de afrenta, no siendo racional, ni es sujeto de deleite ni de pena o tristeza, pues carece de todo sentido, no se puede quejar que la haya
5 hecho el ollero vaso para el fuego, ¿de qué manera se podrá quejar el hombre, que tiene el uso del entendimiento y de la razón, y le ha hecho Dios señor de sus acciones y con franco albedrío, y le ha dado los medios para alcanzar la gracia, y para con ella
10 salvarse, si pudiendo no quiso usar bien de todo esto que Dios le dió, y por su mera y libre voluntad se condena? ¿Cómo podrá este tal decirle a Dios: «Señor, por qué me hicistes para que me condenase?», pues estuvo en su mano el salvarse, y no quiso; si
15 ni aun el vaso lo puede decir, con haberlo hecho determinadamente para el fuego, sin tener libertad para escapar de él?

De manera que, resumiendo, toda la razón es ésta: si el vaso que, hecho una vez olla, no puede más
20 hacerse fuente, no se puede quejar del que le hizo, ¿cómo se podrá quejar el hombre, que está en su mano, de vaso de afrenta hacerse de honra, admitiendo la gracia y los llamamientos divinos? Pienso que este sentido y declaración es pegadísima a este

---

1 *hiciese esta consecuencia*, por deducir o sacar consecuencia. «¿Quién te enseñó a *hacer esa consecuencia*, que porque Dios es bueno tengas tú licencia para ser malo y salir con ello?» Granada, *Guía de Pec.*, 106 y 107. Ed. «Clás. Cast.

24 *pegadísima*, muy apropiada, muy en consonancia.

lugar y al intento de San Pablo, que no se puede
quejar el pecador de que le condenan, pues no lo
hizo Dios para que se condenase, sino para que se
salvase, sino que él por su culpa se condenó y se
hizo vaso de ira.                                              5

Y si así no se entendiese este lugar, el Apóstol
se contradiría a sí mismo; a lo menos parece que es
esto contra lo que dice en la segunda que escribió
a su Timoteo: «En una gran casa, dice, no solamente se hacen vasos de plata y oro, mas también los   10
hay de barro y de madera; y de éstos, unos son para
honrar la memoria del señor de la casa, otros para
que sirvan allá en lugares afrentosos y viles. Pero si
alguno se limpiare de los pecados y vicios que le
ensucian y le hacen vaso de afrenta, este tal será   15
vaso de honra, santificado y escogido y provechoso
al Señor, aparejado para toda obra buena». Hasta
aquí dice San Pablo. Si aquí dice que en la gran casa
hay vasos de honra y otros de afrenta, síguese que
expone o es lo mismo que aquello que había dicho   20
a los romanos, que el ollero hace y puede hacer
unos y otros vasos. Esta gran casa es el mundo, cuyo
poderoso Señor es Dios; los vasos son los hombres,
que unos son de oro, otros de plata, otros de ma-

---

8  *la segunda*, se sobrentiende *Epistola*. Dice a *su Timoteo*,
para indicar el gran afecto que San Pablo le profesaba.

9  II *Ad Thim.*, 2.

17  *aparejado*, dispuesto, apto.—«Y si no me engaño maravillo-
sas cosas se nos aparejan.»—Fr. L. de León. *Nombres*, III, 34.
Ed. cit.

dera, otros de lodo; que es decir, que unos son malos y para el fuego y afrenta, como son los pecadores; los otros para honra, como son los justos. Mas
porque nadie piense que para afrentosos los hizo
5 del primer intento, dice aquí que puede el vaso sucio hacerse limpio y santo, porque habló de vasos
de razón y libres, como lo son los hombres, lo cual
no pueden los de barro. Luego si en manos del vaso
está ser escogido, síguese que no lo crió Dios re-
10 probado de primer intento; porque si para eso lo
crió, no estaría en su mano el hacerse vaso de honor,
y así, si lo condena, es por su culpa y por su final
impenitencia. Y a esto pienso que aludió el Señor,
cuando del mismo San Pablo dijo a Ananías: «Vaso
15 escogido es Saulo para mí». Primero había sido vaso
de ira afrentoso, blasfemo, perseguidor, como lo
dice él mismo de sí; después le hicieron vaso escogido, como lo dijo Cristo. Y así habló como expe-
rimentado, cuando dijo que se podía uno hacer vaso
20 de honra de vaso de ira. La Iglesia ayuda también a
esto, que en el oficio que canta de la Magdalena
dice así en un himno:

> *Post fluxæ carnis scandala,*
> *fit ex lebete phiala,*

---

4  *para afrentosos*, es decir, para servir de ignominia y afrenta.
Un adjetivo verbal regido de preposición con valor oracional.
14  *del mismo San Pablo*, equivale a *por el mismo.*
14  *Act. Apost.*, 9.

*in vas traslata gloriæ,*
*de vase contumeliæ.*

Que vuelto en nuestra lengua, dice así:

> Después de la caída
> del miserable cuerpo, fué trocada
> en copa aventajada;
> de caldera del fuego denegrida,
> y de vaso de afrenta y vil escoria,
> la hizo vaso Dios de honor y gloria.

5

«Convertíos a mí de todo vuestro corazón?». Señor,
convertidme Vos, que yo necesariamente sigo por
donde Vos me guiáis o lleváis. Así que, si no estu-
viese en nuestra mano el condenarnos o salvarnos
5 mediante la gracia divina, por demás era el convi-
darnos y el llamarnos y el darnos mandamientos,
y ponernos premios, si los guardáremos, y castigo
si los quebrantáremos.

# VII

Quiero traer un lugar que por ventura no vendrá
mal a nuestro propósito. Tratando el Redentor de
aquel espantoso y triste día del juicio universal,
cuando será la averiguación de las cuentas del alma, 5
y cuando hará capítulo general de culpas al mundo, a donde al de mejores cuentas y al más valiente le temblará la barba, dice que dirá a los
desventurados pecadores: «Id, malditos, al fuego
eterno que está aparejado para Lucifer y sus ánge- 10
les». Para entender el propósito a que traemos este
lugar es de advertir que esta diferencia, entre otras
muchas, hay del ángel al hombre, ora el ángel sea
de los buenos, ora de los malos, que llamamos demonios, y es, que el demonio no entiende por dis- 15

---

8 *temblará la barba*, modismo para indicar *estado de miedo y
terror*. Vid. Correas *Vocab.*, 647.

«Mirábanse unos a otros, y ninguno el sí le daba,
que la ida es peligrosa y dudosa la tornada;
y con el temor que tienen *a todos tiemblan la barba*,
si no fuera Don Alonso que de Aguilar se llamaba».

Rivad., *Romancero General*, vol. XVI, 102.

10 Evang. S. Math., cap. 25.

cursos de silogismos, adivinando e infiriendo unas
cosas de otras; esto es, no saca las conclusiones de
las premisas diciendo: «El hombre es animal racional y veo que Pedro es hombre, luego sin duda Pe-
5  dro es animal racional», sino que juntamente, en
viendo una cosa, ve todas las razones que él puede
conocer en tal cosa, y después no le queda faculu-
tad para conocer otras de nuevo.

Y así dicen los teólogos, que el ángel es deter-
10  minado a una sola cosa. Quiere decir que si alguna
vez acierta con el bien, jamás lo dejará ni puede, y
si con el mal, lo mismo; porque cuando mira y conoce un bien, juntamente ve todas las razones que
él puede alcanzar para amarle o aborrecerle, y, como
15  si le aborrece, no puede formar nuevas razones
que le muevan a amarlo, porque ya vió todas las
que pudo, queda imposibilitado para volver atrás
de lo que una vez le pareció y escogió. De aquí es
que los ángeles buenos, que una vez amaron a Dios
20  y escogieron lo bueno, no pudieron desquererlo

---

5  *juntamente*, es decir, a la vez, globalmente.

20  *desquererlo*, es igual que dejar de querer, o mejor, no pueden
volver a no quererlo. ¿Porqué se ha de señalar este término con
el estigma de anticuado, en desuso? Puede usarse con la misma le-
gitimidad que *desobligar* o *desamar*, que emplea con preferencia
L. de Argensola, o que *desatraer* que trae Villegas.

«Vos, señora, a *desamarme*
Yo a queros como os quiero;
¿Quién se cansará primero?»

*Glosas de* Rodrigo de Reinosa.

jamás, y quedaron santos; y al contrario, los malos
que aferraron con el mal y con el pecado, se quedaron siempre con él, y jamás lo dejarán ni se arre-
pentirán eternamente.

De donde se siguen dos cosas: la primera, que      5
no fué menester guardar muchos actos y a que
obrasen muchas obras, para dar Dios la gloria a los
unos y el infierno a los otros, pues ni los buenos
habían de dejar el bien que escogieron, ni los malos
el mal que aceptaron; y aquella fué su muerte y     10
su juicio, sin esperarlos a la penitencia que no podían hacer. Síguese lo segundo, que su pecado no
fué reparable, porque como no podían tener conocimiento de su culpa ni dolor de haber ofendido,
no eran capaces de la misericordia divina.          15

Mas de esto ya lo decimos largamente en *El Li-*
*bro*, que con el favor de Dios, saldrá presto de *To-*
*dos Santos*. El hombre, que es de una naturaleza
más grosera, y no tan pura y tan espejada como
los ángeles, va por otro camino; y es que crió Dios  20
al alma encerrada en un masón de barro, empanada en lodo, y crióla, como dijo Aristóteles, como
una tabla rasa, sin pintura alguna de especies de

---

19  *espejada*. «*Espejado* lo muy limpio y lucido que nos podemos
mirar en ello como en espejo». Covarr., *Tesoro*, «Antes (y sea lo
quinto) el entendimiento de Dios, *espejado* y clarísimo es el que la
celebra». Fr. L. de León, *Nombres*, III, 39.

21  *masón*, aumentativo de masa.

22  *empanada*, es lo que hoy diríamos *rebozada*. «Empanada de
carne o pescado, puesto en pan». Covarr., *Tesoro*.

Dios nuestro Señor esperar a más obras, y haber
en el hombre más experiencias de su pertinacia
en el mal o de su conversión para el bien; y así,
no luego le mató en el cuerpo, dado caso que
5 murió luego en el alma. La segunda, que su pecado
fué reparable, porque pudo conocerle y llorarlo y
dolerse de él, aunque no podía satisfacerlo. Y así
la caída del hombre fué reparable por Jesucristo
nuestro Redentor, y el hombre es sujeto acomoda-
10 do de misericordia, lo que no es el demonio. Y aun
hay alguna tercera cosa, que de lo dicho se sigue:
que el pecado del hombre no fué de tanta malicia
como el del demonio, antes hubo en él más de ignorancia, y pecó de necio. Y David a ignorancia
15 lo echó, diciendo: «Vióse el hombre en zancos y
cargado de honra, y no lo entendió». Y S. Pablo
dice, «que Eva fué engañada», luego como ignorante. Y si dice que Adán no fué engañado, quiere

---

4    *no luego le mató.* Era frecuente anteponer la partícula negativa en esta forma, dando origen a este ingrato hipérbaton: el sentido sería, y *así no le mató luego, inmediatamente* etc.

15    *Sal.* 48.

15    *vióse el hombre en zancos,* es decir, vióse elevado y ensalzado.
—«Andar en çancos —trae Covarrubias— se dice de las mujeres
que traen chapines muy altos». *Tesoro de la Lengua.*— Para ver el
afán del P. Malón de Chaide por insertar giros y frases del lenguaje familiar o corriente, baste observar cómo no se contiene siquiera en la traducción de los pasajes bíblicos. Nótese la versión
que hace del texto «*Et homo cum in honore esset non intellexit,* del
Salmo 48.

17    *Ad Thim.* 2.

decir por ventura que no lo engañó a él la serpiente, pues no fué él el tentado.

Mas ya en otra parte tratamos este lugar de espacio: aquí esto basta. El pecado del demonio tuvo mucho de malicia y poco de ignorancia, porque 5 pecó y supo que pecaba y quiso pecar. Y aun tiene más gravedad el pecado del demonio que el del hombre, porque el hombre es imposible apartarse de Dios con tanta fuerza, ni tan del todo como el demonio. Y es, porque sus obras, ora sean en el 10 mal, ora en el bien, no las puede hacer según todo el conato e ímpetu de su virtud; porque el cuerpo de tierra, grosero, pesado y torpe le retarda y detiene; así, en lo que obra de bien o mal no puede aplicar toda la fuerza de su virtud. Luego no pudo 15 haber en su pecado total malicia, y así tuvo lugar de entrar de por medio la misericordia y cupo allí con ella su reparo. Mas el demonio, porque es espíritu ajeno de cuerpo, y que no tiene quien le hable a la mano en sus obras, ni quien le detenga ni 20 retarde, asienta toda la fuerza de su voluntad en el

---

19 *ajeno*, es decir, que carece de cuerpo. En el mismo sentido lo usa Fernando de Herrera:

«Ningún alivio en la miseria mía
hallo; de ningún mal estoí *ajeno*.»

Soneto XLVI. «Clás. Cast».

20 *quien le hable a ía mano*, es decir, quien le impida.—«*Hablar á la mano* es estorbar al punto que el otro va a tirar el cabe, para que no acierte». Correas, *Vocabulario*, 587.

21 *asienta*, por sienta o pone. Muy usado por los clàsicos, pero caido hoy en desuso, por más que entre el pueblo es aún corriente.

objeto que aprende y quiere o aborrece. Y por
esto su pecado fué de suma malicia y cerró la puerta al perdón y no tuvo vez allí la misericordia y así
quedó irreparable.

5      De donde se saca que el mayor enemigo de Dios
es el demonio, y, por mucho que el hombre lo sea,
no lo puede ser tanto en cuanto a esto, ni puede
estar tan apartado de Dios ni tan sin remedio. Y
digo en cuanto a esto de la malicia, porque por
10  otros respetos, como por ser muchos los pecados
de un hombre, podría ser que fuese más odioso
que alguno de los demonios. También nace de aquí
la razón por donde no podemos cumplir en esta
vida aquel gran mandamiento, que dice Dios que es
15  el primero en dignidad y en obligación, de amar a
Dios sobre todas las cosas, con todas nuestras fuerzas y sentidos y por potencias; mas cumplirlo hemos en el cielo, a donde el cuerpo no impedirá al
alma, y ella verá claramente el objeto amado su-
20  mamente bueno, que es Dios, y lo entenderá como
suma y primera verdad.

---

18  *cumplirlo hemos.* Un presente perifrástico, muy usado por los
escritores del siglo de oro, con significación de futuro.—«Espere
un poquito, señora, que *passar se ha* esta tempestad y *gozar se ha*
de averla pasado». B.º Avila, *Epíst.* 286.

## VIII

Pues de la doctrina que habemos dicho, entenderemos ahora la sentencia que Dios dice, que dará contra los malos: «Id malditos, les dirá, al fuego eterno, que estaba aparejado para el demonio y sus ángeles». Dice para el demonio y no para los hombres, porque, como habemos dicho, en el punto que el demonio pecó, quedó sin remedio y así, como aquel de quien no se esperaba enmienda, condenóle luego al fuego, e hiciéronse para él aquellas simas y calabozos del infierno, con un fuego hecho a temple de espíritus angélicos y a prueba de almas; por eso dice «id al fuego que se aparejó para el demonio».

Mas como el hombre es mudable y puede arrepentirse y su pecado no fué de tanta malicia, y podía conocerle y enmendarse, y esto era contingente, no dice que aquel fuego lo hizo para los hombres. Y es como si dijera Dios: «Andad, malditos, que yo no hice el fuego para vosotros; que, aunque pecastes, os llamé, os rogué, os esperé, os di medios con que saliésedes del pecado, y no quisísteis y escogísteis la compañía de los demonios, para cuyo castigo había yo hecho el infierno; pues id a donde escogísteis y tomad lo que ganásteis».

He aquí cómo de este lugar parece que Dios a
5 nadie crió para que se condenase, sino para que se salvase y gozase de Dios. ¿Pues qué mayor consuelo puede tener un alma que ver que su Dios desea salvarla, y que la crió para gozarle, amarle, servirle y siempre alabarle? Que si algunas hubiera criado de
10 propósito para el infierno, sin ver en ellas deméritos, no dijera bien mi padre San Agustín: «Hicístenos Señor para Vos», si sin causa ni pecado nos reprobara. Y ¿para qué nos daba aquel deseo de volvernos a él? Y ¿de qué nos servía aquella inclinación
15 de unirnos con Dios, si nos hizo no para darnos gloria? Y si por no poner una inclinación supérflua y por demás, como en tal caso lo sería la que tiene el condenado, se la quitamos y decimos que no la tiene, la experiencia nos desmiente, pues todos los
20 hombres, por desalmados, desuellacaras que sean, querrían salvarse y gozar de Dios. Y allende de eso, seguiríase que en el tal la carencia de la vista de Dios no sería pena, porque no tener lo que no apetezco no me da pena. Y pregunto: si Adán no pe-
25 cara, ¿nacieran más de los predestinados? Dicen que no; luego nacer algunos que se condenen, el

---

15  *si nos hizo no.* Véase como van separadas las dos partículas de la condicional negativa: *si no nos hizo,* etc., diríamos hoy con más corrección, pero con detrimento del buen ritmo de la frase.

pecado lo hizo; luego él es al que mira Dios para
condenarle.

Y a nadie espante el haber dicho arriba que
nuestra reprobación nos viene de nuestros pecados,
junto con la voluntad de Dios, que quiere tener   5
misericordia de unos y no de otros, como se lo dijo
a Moisés; porque, aunque eso es así, jamás deja de
dar todo aquel pavor que a cada uno le basta para
poderse volver a Dios, y con él y con su voluntad,
puede hacer lo que Dios le manda y salvarse. Por-  10
que, a no ser así, ¿cómo le dice a Faraón: «Hasta
cuándo no quieres obedecerme y sujetárteme?».
Podría responderle: «Señor, ¿cómo queréis que os
obedezca, pues no está en mi mano?». Luego culpa
fué de Faraón y no de Dios, el ahogarse y conde-  15
narse. Y vos en vos lo experimentáis cada día que,
porque queréis, pecáis y véis que hacéis mal y que
podéis no hacerlo y que está en vuestra mano, y
con todo eso lo queréis hacer y cerráis con ello.

Bien es verdad que en esto de llamar Dios y  20
atraerlos a sí a los hombres hay alguna diferencia,
que a unos trae y llama con más eficaz llamamiento
y fuerza que a otros. A un San Pedro y San An-
drés, en diciéndoles una palabra, lo dejaron todo y

---

7   *Exod.*, 33.

11   *Exod.*, 10, 2.

19   *cerráis con ello.* «Cerrar con ello es lo mismo que *apechugar*».
Correas, *Vocabulario*, 545.

24   Math., 4.

se fueron en pos del Redentor; lo mismo hicieron
San Juan y Santiago, su hermano. Pues ¿qué diremos de San Mateo, que con un sólo mirar lo movió
y atrajo? A donde se descubrió bien la gran fuerza
5 del mirar de Cristo, cuando de veras y con atención miraba. Y pienso que fué una de las más gala-
nas pruebas que hizo de su divinidad, el mirar y
convertir con él a San Mateo. Y dado caso que todas las obras de Cristo tenían ojo a mostrarle Dios,
10 con todo eso, unas le descubrían más que otras.
Una de las que más, fué el mirar. Son los ojos la
muestra del alma, y son el sobrescrito donde se lee
lo que está en el corazón; y, como en Cristo el alma
era divina, el mirar era celestial y los ojos sobera-
15 nos. Pues como cuando Dios hizo al hombre lo crió
a su imagen, y parece que se estampó como en un
espejo, salió con el rostro levantado y mirando a su
causa y principio; pecó y quedó derrocado e inclinados los ojos a la tierra, imposibilitado de poder-
20 los levantar por sí mismo. «Todos declinaron y se
derrocaron,, dice David, y quedaron tullidos, sin
fuerzas para levantarse». Y en otra parte dice: «De-
termináronse los pecadores de derrocar sus ojos en

---

9  *tenían ojo*, estaban atentas a, procuraban. «Tener ojo a alguna
cosa es mirar por ella». Covarr., *Tesoro*. «De la lengua italiana des-
seo poderme aprovechar para la lengua castellana destos vocablos...
*aspirar* por tener ojo». Valdés, *Diálogo*, 134.

21  *Salm.*, 31

22  *Salm.*, 16.

23  *derrocar*, con el sentido de abatir, echar por tierra; frecuentísimo.

tierra». Cierta cosa es, que si vos os estáis mirando
a un espejo y tenéis los ojos bajos, que vuestra
imagen también los tendrá así; y que aunque vengan ciento y se miren y los levanten, nunca vuestra
imagen los levantará, si vos no la miráredes y los      5
levantáredes.

La razón es porque no es imagen de aquellos
que la miran; mas si vos los levantáis a mirarla, mi-
raros ha ella y levantará a vos los ojos, porque es
imagen vuestra. Así, ni más ni menos, muchos ha-      10
bían mirado a San Mateo, que estaba derrocado en
una aduana, mas nunca él los había mirado ni levantado los ojos del conocimiento para ver su peligro-
so estado, porque no era imagen de alguno de ellos.
Mas, en llegando el Hijo de Dios y levantando los      15
ojos para mirar a San Mateo, luego él los levantó y
se levantó y siguió a Cristo; porque era imagen o
hecho a la imagen de aquel Dios que se encubría
debajo de aquel cuerpo humano que se veía.

Estos llamamientos de Dios, y el de un Santo Pa-      20
blo, que le aguardó en un camino, como quien sale
a saltear y a robar, y le derrueca, y ciega, y habla,
y le sube al cielo, y le enseña de su mano; y el de
un San Agustín que le espera y le va dando soga, y

---

5    *miráredes*. En otras ediciones leo *mirásedes*.

24    *dando soga*, dando tregua y tiempo. Covarrubias lo trae como
frase proverbial y dice que es lo mismo que «dar larga».

«Pues si estás desesperado,
¿hago mal en *darte soga?*»
Moreto, *El desdén con el desdén*, 166. «Clás. Cast.»

le da un grito en una huerta donde estaba al tronco
de un árbol solo y llorando, y casi de los cabellos
lo hace venir a su fe y su conocimiento, como quien
dice, *Habéis de ser mío;* digo que estos tales favores
5 y llamamientos pocas veces y con pocos los usa
Dios. Son mercedes que su Majestad a nadie las
debe y a pocos las hace; mas bien basta que con los
llamamientos generales y favores ordinarios siempre
nos convida y nos ruega, y esto es mucho. De los
10 primeros por ventura se entiende lo que dijo Dios
a Moisés: «Yo tendré misericordia de quien me
pareciere, y de quien no, no la tendré». Y lo que
dice San Pablo: «No es del que quiere ni del que
corre, sino de quien Dios tiene misericordia». Y no
15 porque no la haga con los otros, como habemos dicho, dándoles el auxilio que les basta, sino porque
no es tan especial el favor. Así que gran consuelo
es este que tenemos que Dios nos da bastante favor
y medios para salvarnos; y por eso nos pone pre-
20 ceptos y leyes para que las guardemos, y premio
y castigo, y nos pedirá cuenta de nuestras obras,
pues estuvo en nuestra mano el hacerlas.

---

10   *Exod.*, 33.
13   *Ad Rom.*, 9.

## IX

Quédanos ahora de responder una palabra a lo que preguntamos al principio: que por qué atrae Dios a una Magdalena, cargada de pecados, y a un Mateo, cambiador o trampeador, que todo es uno, y a un Zaqueo, publicano, y se deja a otros muchos que tendrían menos pecados que éstos. A esto respondo lo que dice mi padre San Agustín: «¿Por qué Dios traía a éste y no a aquél? No lo quieras escudriñar, si no lo quieres errar». Veo que dice Cristo en el Evangelio, hablando con los fariseos: «Los que son de Dios, oyen la palabra de Dios; mas vosotros no la oís, porque no sois suyos». Aquí el entendimiento humano se agota y se pierde y no se sabe dar a manos.

---

11   Joann., 3.

15   *dar a manos*, es frase equivalente a la que actualmente se usa no darse manos, para significar «tener que hacer más de lo que es uno capaz de hacer». «No darse manos a un negocio, cuando hay mucho que hacer en él». Covarr., *Tesoro.*—«Con tanta priessa y agonía, que parece que no se *da a manos*». Fr. L. de León, *Nombres*, III, 48. Vid. nota de Onis.—«Cuando ellos oyeron esto, volviéndose a otra furia, que no se *daba manos* a señalar hojas para leer». Quevedo, *Sueños*, 40.

Y siendo San Agustín gran averiguador de ver-
dades oscuras y dificultosas, y que a él como a la
fuente solemos acudir en lo que no entendemos
para que nos adiestre con el resplandor de su doc-
5 trina, veo que si aquí vamos a él, se nos descabulle
y desliza de entre las manos, acogiéndose a la predestinación divina. Oyen dos sermón, el uno se
convierte, el otro se condena; ¿por qué? Porque el
uno es de Dios, el otro no. Esto es gran ver-
10 dad, llevándolo a las causas eternas. Mas es Dios
causa suprema y remota, de cuyo efecto nos aconseja San Agustín que no lo escudriñemos, que nos
perderemos, y esto es quedarnos en la misma dificultad que antes. Dadme la causa próxima y cerca-
15 na, por la cual a éste determinó de atraerlo, y a la
Magdalena de llamarla interiormente y moverla, y
que viniese a los pies de Cristo y de darle después
el cielo, y no a otras pecadoras, que vivían en Judea
en tiempo de la Magdalena; porque así como en los
20 niños, éste alcanza gloria, porque por el batismo

---

5   *descabulle.* La transformación de este vocablo no le agradaba
a Valdés, que prefería la *s* líquida a la *e* que se añadió a algunos
verbos, y luego la *d;* «de manera que habiendo hecho de *scabullir*
escabullir, vos hazéis *descabullir*». *Diálogo,* 68.

12   Aug., *Super Joannem.*

15   *determinó de.* Era frecuentísimo, como ya queda indicado,
esta forma constructiva en los clásicos.—«Tuviéronle encerrado
mucho tiempo sus amigos; pero viendo que su desgracia pasaba
adelante, *determinaron de* condecender con lo que él pedía». Cerv.,
*Licenciado Vidriera,* II, 38.—«Clás. Cast.».

20   *batismo* por bautismo; era también frecuente *baptismo* apenas
deslatinizado.

renació de agua y de Espíritu Santo, y el otro no, porque murió sin el batismo; así en los adultos habemos de dar causa próxima; ¿por qué, pues Dios está siempre prontísimo para convertir a estos dos, y esto igualmente, y está inspirándolos a entrambos 5 con su gran misericordia, trae para sí al uno y no al otro? Confieso, sin correrme de ello, que no lo entiendo. Bien sé que dicen algunos que no se puede dar otra causa sino que el uno da cabida y consentimiento a la palabra o a la inspiración de Dios, y 10 ese otro no; y que por esto da a éste mayor gracia, porque con mayor conato y con mayor ímpetu y fuerza de amor se convierte y vuelve a Dios.

Bien estaba esto, si no se atravesara de por medio la sentencia de Cristo, que dijo a los fariseos, «que 15 el que es de Dios oye su palabra»; para cuya respuesta, esto no hace ni deshace. Dice Cristo: «Porque no sois de Dios, no oís la palabra de Dios». Aquí da el Señor por causa del oir la palabra, que es lo mismo que obedecerla y disponerse y darle 20 cabida, el ser de Dios; de manera que la admitió, porque era de Dios: ellos dicen al revés, que es de Dios o viene a Dios o le atrae Dios, que todo es uno, porque admite su palabra.

He aquí cómo se queda la misma dificultad. No 25 sé si querrá decir el Señor lo que ahora diré: «No

---

7 *sin correrme de ello*, equivale a avergonzarse.—«*Correrse* vale afrentarse; porque le corre la sangre al rostro». Cov. *Tesoro.*—«*Correrse*, por afrentarse de vergüenza». Correas, *Vocabulario*, 548.

oís vosotros mis palabras, porque no sois de Dios»,
y el no serlo culpa vuestra es, que por vuestros
pecados habéis venido a hacer asiento y callos en la
maldad, y a cerrar el corazón a Dios y a su doctrina;
5 de tal suerte, que ya no halla paso su doctrina para
vuestras orejas. Que hable aquí de los obstinados y
duros en el pecado, y que tienen ojeriza contra la
virtud y con Dios y con su doctrina, y que no trate
de la predestinación y que ponga dos maneras de
10 ecadores: los unos que no son del todo malos,
que pecan, mas con una manera de miedo y cobar-
día que se les echa de ver que no pecan desvergon-
zadamente. Es verdad que están enemistados con
Dios por el pecado, mas quedan con un enfado y
15 desabrimiento contra él, y con una cierta acedia del
vicio, que consigo mismo se corren y avergüenzan.
Estos tales presto dan la vuelta, no tienen desamor
a la virtud ni a Dios; esto es, no tienen odio formado contra ella, mas antes lloran, suspiran, ruegan y
20 desean remedio, y si les habláis, se enternecen y
procuran de disponerse a salir del pecado. De éstos

1 Exposición del lugar del pasaje del Evang. de S. Lucas, capítulo 8.

3 *hacer asiento* y *callos* es lo mismo que endurecerse, enveje-
cerse en el mal.

7 *ojeriza*. «La mala voluntad que uno tiene a otro». Covarr., *Tesoro*. El autor emplea el vocablo en sentido traslaticio.

15 *acedia*. «Calidad de acedo que tiene alguna cosa». *Diccionario
Academia*. Usado metafóricamente es lo mismo que desabrimiento
o disgusto de alguna cosa.

19 *mas antes*, antes bien.

podría ser que entendiese el Señor, cuando dice:
«El que es de Dios oye su palabra», y que llame no
ser de Dios al otro linaje de pecadores del todo
malos, duros y tercos, que lo son y que lo quieren
ser, y son del todos contrarios a los primeros; o   5
que hable de los que, siendo buenos en el judaísmo,
admitían su predicación y se pasaban al Evangelio;
y de los que, por ser pecadores soberbios, avarien-
tos, hipócritas, como lo eran los fariseos, no querían
recibir a Cristo, ni les agradaba su doctrina, y así   10
mofaban y burlaban de ella.

Y si nada de esto fuere, yo lo dejo a los mayores
ingenios que ellos lo descubran; y confieso que no
sé más de lo que aquí digo, y me alegro y me regocijo en tener tan gran Dios, que sus misterios no   15
quepan en mi entendimiento. Y esa es gloria de
nuestra ley, y de lo que de ella no entiendo, lo creo
y lo adoro y lo reverencio, y cautivo mi entendimiento en la obediencia de la fe. Y si acaso es algo
de lo que aquí he dicho, respondo a la cuestión   20
principal, que arriba preguntábamos, y es que ¿por
qué Dios llamó y trajo a la Magdalena dejando otras
menos pecadoras en sus pecados? Digo que, o porque vió que había de admitir su llamamiento y dar
cabida a las inspiraciones de Dios, lo cual no hicieran   25

---

11   *mofaban* y *burlaban*, usados sin el reflexivo *se*, que ordinariamente acompaña a estos verbos construídos como en la frase presente.

18   *cautivo*, es decir, rindo o sujeto mi entendimiento, etc.

las otras, y que esta sea causa próxima y cercana; o porque de las pecadoras que decíamos poco antes, que en medio de los pecados, tenía un no sé qué de buen natural para la virtud y que allí gustaba de la
5 palabra de Dios, y se le aficionaba; y siendo aquella doctrina celestial de Cristo de tanta eficacia, no podía dejar de hacer gran efecto en el corazón de la Magdalena, hallando en él la entrada y puerta que halló.

---

4 *buen natural*, tomado en el sentido de índole o disposición nativa.

# X

*Ut cognovit.* Estando en este punto la gloriosa
Magdalena conoció. Metió Dios la hacha de su divina luz en el alma de esta mujer, para que viese la
fealdad de sus pecados. Háse Dios en la conversión    5
de un alma de la manera que se hubo en la creación
del mundo. Lo primero que entonces hizo fué criar
la luz. Dijo el Señor: «Hágase la luz y luego fué hecha». Así, para criar o reengendrar de pecadores,
hijos de gracia, lo primero que hace es alumbrarlos,   10
darles conocimiento de Dios y de sus pecados.
Siempre ha usado Dios de este artificio con ellos. A
Adán allá le va a buscar al medio día; a San Pablo,
dice San Lucas en *Los Actos,* que le cercó un grande resplandor; el mismo Dios se sube en la Cruz al   15
medio día, y allí alumbra al ladrón. El pecado es

---

3   *hacha,* «puede significar la antorcha de cera con que se alum-
bran, quasi faça, o facha, del nombre latino *fax*». Covarr., *Tesoro.*

5   *háse,* en acepción de portarse o conducirse. De uso reiterado
en los clásicos. «Mas diré de la manera que *se ha habido* con esta su
esposa». Fr. L. de León, *Nombres,* II, 237.—«Que esta purgativa y
amorosa noticia o luz divina que aquí decimos, de la misma manera
*se ha* en el alma». S. J. de la Cruz, *Noche obscura,* 403, ed. 1926.

8   *Genes.,* I.

tinieblas; «Erades, dice el Apóstol, otro tiempo
tinieblas, ahora sois luz en el Señor». En viniendo la
luz de arriba conocen su mal estado. —¿Qué es esto?
¿Dónde estaba yo?¿Qué ceguera era la mía?— Todo lo
5 echamos a que estamos ciegos, hasta que nos alumbra Dios; que esta era la luz que deseaba David, y
díjolo galanamente: *Quoniam tu illuminas lucernam
meam Domine; Deus meus illumina tenebras meas.*
Tú, Señor, enciendes y alumbras mi vela, porque de
10 tu soberana luz se ceba la que pusiste en nuestros
entendimientos. Y pues esta sola no basta, alumbra,
Dios mío, mis tinieblas; porque sin tu luz divina
tinieblas son para mí la luz natural de acá bajo. Y
esta misma quería hallar la esposa, cuando le decía
15 a su esposo: «Dime, amado de mi alma, ¿a dónde
apacientas tu ganado, y a qué parte te recuestas y
tienes la siesta del medio día, que es la más clara
luz?»

Es, pues, el primer escalón para la penitencia el
20 conocer sus pecados. Y esto no piense nadie que es
tenerlos en la memoria, porque muchos hay que se
acuerdan de ellos; ni conocerse por gran pecador, que
Caín dijo: «Tan grande es mi maldad, que no merece
perdón»; y Judas: «Pequé vendiendo la sangre del
25 Justo»; ni es sólo llorarlos, porque Antíoco y Esaú

---

1   *Aá Eph.*, 5.
7   *Salm.*, 17.
15   *Cant.*, 1.
23   *Genes.*, 4.

los lloraron, más no alcanzaron perdón; ni es rogar
a los santos que sean vuestros intercesores para
alcanzar perdón, que Faraón rogó a Moisés que
orase por él, y al fin se ahogó. Pues ¿qué es conocer sus pecados? El pesarlos con la doctrina del   5
Evangelio.

Tres balanzas hay para pesar. La primera es de la
razón entenebrecida; esta, dice San Pablo a los romanos, que tenían los sabios hinchados del mundo.
Es peso falso que engaña. Con esta pesan su vida   10
los que dilatan su enmienda allá para la vejez; los
que dicen: «Señor, andá, que aún soy mozo, tiempo
tengo, no he de hacerme viejo antes de serlo, la
misericordia de Dios es grande». ¡Ah desatinado
loco! ¿qué sabes si alcanzarás esta misericordia? ¿qué   15
sabes si habrá mañana para ti, como no la hubo para
el otro ricazo del Evangelio? Es peso falso, de quien
dice el sabio: «*Statera dolosa abominatio est apud
Deum*. Es peso falso, es abominable acerca del Señor. Pide Dios en nuestras obras la libertad, no la   20
necesidad. No le sabe bien, en cuanto creo, la conversión, teniendo el alma a los dientes; ni le agradan
las restituciones, cuando el médico no os da más
que dos horas de vida. Lo que quiere es que por su

---

8  *Rom.*, I.

18  *Prov.*, II, 2.

22  *tener el alma a los dientes*, expresión frecuente en el lenguaje
familiar para expresar que alguien *está en las últimas, en la agonía* o
*trance de muerte*, o *en gran peligro*.

amor se haga la penitencia, y cuando hay fuerzas
han de ser las devociones, los ayunos y las buenas
obras. La segunda balanza es la razón, alumbrada
con la luz natural. Esta tienen los que conocen qué
5 cosa es pecado, y que es mal hecho lo que hacen;
pero ciégalos la pasión o el deleite para que no de-
jen de pecar. La tercera es, cuando se miden los
pecados con la ley evangélica y se mira lo que des-
dice de ella; porque el Evangelio es la plomada que
10 se ha de echar sobre nuestras vidas, y la regla y ni-
vel con que se ha de medir. Así dice el glorioso
padre San Agustín, y lo traen los teólogos para de-
finir qué cosa sea pecado, que «es cosa dicha o hecha o deseada contra la ley divina». Oyó la Magda-
15 lena la palabra de Cristo, cotejó lo que había hecho
con lo que había oído, y conoció que iba errada.
¡Ora suso! mal vamos por aquí. Esto es el *ut cognovit*.

---

17  *Ora suso. Hora, suso*, traen las demás ediciones. Creo que la
lección correcta es como la trae la ed. *princeps*. *Ora suso* es una
interjección anticuada, compuesta de las dos palabras. Es lo mismo
que */ea! /sus/.* «Desta palabra sus, y suso, usamos cuando queremos
dar a entender se aperciba la gente para caminar o hazer alguna cosa;
y así dezimos suso, leuantaos de ay, y puede traer origen del verbo
surgo, o del verbo griego εουϐω, irruo, por significar presteza e im-
petu». Covarr., *Tes. de la Leng. Cast.—Suso por arriba*, se usó un
tiempo, como parece por el refranejo que dize: *Con mal anda el huso,
quando la barba no anda de suso;* pero ya no la usamos, especialmen-
te en cosas graves y de autoridad». Valdés, *Diálogo*, 118.

«Quanto aquí vivimos, en ageno moramos;
La ficança durable *suso* la esperamos».

G. de Berceo, *Milagros de N. Señora*, 6.

## XI

*Ut cognovit.* Dijimos arriba cómo por el pecado
venía un hombre a perder el nombre para con Dios
y con el mundo; pues veamos ahora cómo le vuelve
a cobrar por la penitencia. Y preguntémosle a esta 5
santa mujer: decidme, Magdalena, ¿cómo así os habéis mudado? ¿Cómo ha sido esto? ¿Quién os ha trasegado el corazón? Por cierto: *Hæc mutatio desteræ
excelsi.* Esta ha sido mudanza de la mano derecha
de Dios; porque las obras famosas y de misericor- 10
dia se atribuyen a la mano derecha de Dios, como
ya creo que lo dijimos arriba. Pues volverse una
alma a Dios es sola y única hazaña de este mismo
Dios; porque, *Perditio tua ex te Israel, tantum ex
me auxilium tuum.* El perderte, ¡oh Israel! esto es 15
de tu cosecha, y el caer para no levantarte, cosa es
que está en tu mano; porque no hay cosa más fácil
que poderte echar en un pozo, ni cosa más dificul-
tosa que, después de echado, poder salir sin favor

---

8 *trasegado*, por mudado o vuelto. «Trasegar, es voluerlo de
arriba abaxo, de tras, y ago, is. Trassegar un vino, es mudarlo de un
vas en otro. Trasiego la tal obra». Covarr., *Tesoro,* etc.

15 Osse., 13.

ajeno; y así, éste es siempre de mi parte, y nadie
sino yo te le puede dar. Está el pecador en un pro-
fundísimo pozo, hundido hasta los ojos en el cieno,
y allí se va el Señor a buscarlo y requerirlo y con-
5 vidarlo. Esto era lo que rogaba David: *Non me de-
mergat tempestas aquæ neque absorbeat me profundum, neque urgeat super me puteus os suum.* ¡Ah
Señor!, por quien Vos sois, no déis lugar que me
anegue el aguaducho de mis pecados, ni me sorba
10 y trague el golfo de mis maldades, y si acaso me
viere caído en el pozo profundo de las ofensas vuestras, os suplico, mi Dios, que no permitáis que se
cierre la boca sobre mí, no se eche encima del brocal la piedra pesada de vuestra justicia, que es el
15 cerrarme la puerta de vuestra misericordia, mere-
ciéndolo así mis pecados.

---

5  *Sal.* 63.

9  *aguaducho*, avenida de aguas, riada. «*Agua-ducho* —escribe
Cejador— de *ductus*, caudal de agua, canal de ella o aqueducto,
avenida y riada, como aún se usa en Bilbao».

«Non te fartará Duero con el su *aguaducho*».

A. de Hita. *Lib. del buen Amor».* I. p. 94. «Clas. Cast.»

«Plinio escribe que con los *aguaduchos* y terremotos cayó un pedazo de un monte». P. Pineda, *Agricultura Cristiana*, 18, 27.—«E
cuanto se ha de temer, manifiéstase por los grandes terremotos e
torbellinos, por los naufragios y incendios, assí celestiales como te-
rrenales, por la fuerça de los *aguaduchos.*» *Celestina*, t. I, p. 18. Ed.
cit.

14  *brocal.* En otras ediciones leo *broquel.*—«Se dixo *Brocal* la
cobertura del poço, que de ordinario tiene forma redonda». Cov.,
*Tesoro.*

Dice David esto por una metáfora bien espantosa, y aun por dos. La una es de cuando se levanta
en la mar alguna borrasca y tempestad. ¡Qué cosa
tan triste y tan espantosa es de ver cerrarse el cielo con unas nubes gruesas y negras, rasgarse el   5
aire con truenos y relámpagos, y despeñarse los
rayos y hacer hervir las aguas donde caen; oir bra-
mar aquel monstruo terrible del mar, que amenaza
a los desventurados pasajeros; ver luchar los vientos y forcejar en aquel extendido piélago de las  10
ondas, y que prueban sus fuerzas a costa de las
vidas de los miserables hombres; aquel levantarse
el mar por el cielo, hacerse sierras de aguas, que
vienen a cubrir los que navegan, y se ven a veces
sepultados en las ondas; otras, que se abren las   15
arenas del abismo, y parece que el regolfo se traga

---

2  *bien espantosa;* ese *bien* equivale a muy, dando lugar a una
forma superlativa muy frecuente en los clásicos.—«Yo conozco una
monja *bien* vieja —que pluguiera a Dios fuera mi vida como la
suya— muy santa y penitente». Santa Teresa, *Camino de perfección,*
t. I, p. 147. Ed. Aguado.

4  Esta bellísima descripción de la tormenta es comparable a
las mejores páginas que se hayan escrito en lengua española, por
la propiedad de las palabras onomatopéyicas y la armonía y ritmo
de la cláusula. El recuerdo de algunas páginas de Fr. Luis surge inmediatamente.

13  *sierras de agua,* igual que montañas de agua.

16  *regolfo.* Covarrubias toma esta palabra como sinónima de
*golfo,* «que tómase por cualquier hondura de agua, ora sea en ríos,
ora en lagos, ora en el mar: pero en vulgar castellano siempre entendemos *golfo* por mar profundo, desviado de tierra en alta mar,
que a doquiera que estendamos los ojos no vemos sino el cielo y el

la rota nave! Allí son los gritos de los que piden
misericordia porque pelean por la vida y la muerte. Abrese la nave y no se pueden dar a manos con
la bomba; los pilotos turbados no hacen sino ir y
5 venir a la aguja. El cielo está tan airado que no le
osan mirar; el día convertido en una ciega noche,
solamente se conoce en el contar de las horas. El
otro que está atento al gobernalle, una grupada que
viene se lo lleva abrazado con él. Pues ya que cuan-
10 do ven que se zume el navío y regolfa, y que el que
puede alcanzar una tabla con que arrojarse al agua
piensa que tiene un tesoro, y, huyendo de una muerte, dan en otra más espantosa y la hallan más presto.
Andan lidiando miserablemente con las aguas;
15 que el poeta castellano lo dijo muy bien, cantando
la muerte del conde de Niebla sobre Gibraltar.

---

agua». Como se ve ni Covarrubias ni cuantos diccionarios he con-
sultado dan con el valor peculiar que tiene aquí este término. Sólo
le veo anotado en el P. Mir: «El clásico Malón —escribe— empleó
esta locución: «Sumirse el navío y *regolfarse*», en que la acción atri-
buída por el Diccionario al agua, la atribuyó él al navío, como si dijera «cuando el navío se sumió, se *regolfó*», esto es, abrió un seno
en cuyo remolino se hundió; por manera que remolinarse las aguas
formando golfo o seno, y sumegirse en él un buque, será *regolfarse*
el buque».—*Rebusco de voces castizas.* 624.

    8   *grupada*, «golpe de aire y agua impetuoso y violento».—*Dic-
cionario Academia.*

    10   *zume;* anticuado, equivalente a se sume o sumerge.

    15   Juan de Mena, *Laberinto de Fortuna,* más conocido con el tí-
tulo de las *Trescientas*, por el número de estrofas de que consta el
poema, por más que las auténticas no son más que 297, a las cuales
se le añadieron 20 posteriormente.

Los míseros cuerpos ya no respiraban,
mas so las aguas andaban ocultos,
dando y tragando mortales singultos
de aguas, al tiempo que más anhelaban.

Las vidas de todos allí litigaban,                     5
que aguas entraban do almas salían:
la pérfida entrada las aguas pedían,
la dura salida las almas negaban.

Pues esta es la primera metáfora de que usa David, que el otro miserable que por huir de la muer-  10
te o, a lo menos, por alargar un poco más la vida,
se arrojó al agua, veréisle unas veces que no se parece y ya pensáis que es ahogado, y otra onda lo
vuelve arriba un gran trecho de allí, y estándole
vos mirando, véis que se hace un remolino espan-   15
toso y se lo sorbe y nunca más parece. Por esto

---

3 *singultos*, latinismo que equivale a sollozos y también ester-
tores.

> «que muriéndose apenas fué creída
> en los *singultos* de su trance fuerte».
>
> Lope de Vega, *Poesías líricas*, 265.

13 *no se parece*, por no aparecer o no se descubre. «Dios, a fin
de hazer esta unión bienaventurada y maravillosa, *crió* todo cuanto
*se parece* y se esconde». Fray L. de León. *Nomb. de Cr.*, tom. I. página 66. Ed. Onís.—«Y era la causa porque el sol no *parecía* en
aquella isla». Alonso Núñez de Reinoso, *Clareo y Florisea*, X.

«...que si no eran los pies, ninguna otra cosa de su cuerpo *se parecía*. *Quijote*, ed. R. Marín, tom. III, p. 48.

dice David: «No me anegue Señor la tempestad y
muchedumbre de las aguas, ni me sorba el profundo». La segunda la pone en el fin del verso, diciendo: «No cierre el pozo sobre mí su boca». ¡Qué
5 tristísima cosa sería que, habiendo caído un pobre
hombre en un pozo de diez estados de hondo, antes
que tornase en sí del golpe de la caída, le cerrasen
con una peña la boca del pozo, y cuando tornase
en su acuerdo y se viese en aquella oscuridad, sin
10 ver luz ni señal de ella, y sin saber en qué lugar
está, y que tentase las paredes y no hallase puerta
por do salir, y diese voces y nadie le oyese; decidme, ¿qué sentiría este hombre miserable? ¿No se
ahogaría de rabia y de congoja de verse sepultado
15 en vida? ¿No leemos de algunos que, teniéndolos
por muertos, los han enterrado vivos en carneros,
y después, vueltos del parosismo, como no han po-
dido salir y se han hallado sepultados en vida, los
han hallado a cabo de días comidas y mordidas las
20 manos de rabia y de gran dolor? Pues esto es lo
segundo que dice el real profeta David, y ruega a

---

6 *estados*, «es cierta medida, de la estatura de un hombre, y
miden por estados las paredes de cantería y entre ellos ay estados
comunes que hazen tantos pies, y estados, o tapias Reales que son
mayores. La profundidad de poços, o otra cosa honda, se mide por
estados». Covarr. *Tes. de la Leng. Cast.—Estados* pasó a ser *estadios.*

16 *carneros*, «la hoya y sepultura común, donde echan en los ci-
menterios de las Iglesias, los cuerpos de los difuntos, que no tienen
sepultura propia». Covarr., Obr. cit.—En este sentido se usa todavía en algunos pueblos de Castilla la Vieja.

Dios que, si algún día cayere en el pozo de los pecados, no cierre su boca, esto es, no le cierre su misericordia por sus muchas maldades y se quede después sin remedio. Pues allí muestra el Señor dónde está el alma, y esto es comenzar a salir del 5 pecado, considerando dónde está, dónde la ha derribado y hundido el pecado.

Este era el consejo que daba el Señor a su pueblo, por el profeta Jeremías, para que más presto saliese del pecado: *Leva oculos tuos in directum, et* 10 *vide ubi non prostrata sis.* Levanta los ojos, oh pueblo mío ciego, y mira donde te han derrocado tus pecados. Lee, alma, en el libro de tu conciencia; mira qué pensaste, qué hiciste, qué dijiste, qué deseaste, porque por aquí va la penitencia. ¡Oh 15 cómo se quejaba Dios nuestro Señor por Jeremías! «*Attendi et auscultavi; nemo quod bonum est loquitur, nullus est qui agat pænitentiam de peccato suo, dicens, quid feci?* Atento he estado, dice Dios nuestro Señor, por ver si hallaría alguno que hiciese pe- 20 nitencia de su pecado, y no lo he hallado. ¿Por qué, Señor? Porque nadie dice delante de sus ojos: *Quid feci?* Que hice lo que no osara pensar ante los

---

9   Jere., 3, 2.

16  Jere., 8.

20  *hallaría.* Muy usada esta forma condicional sustitutiva del imperfecto de indicativo. En las provincias de Burgos y Santander es de uso frecuentísimo esta forma condicional entre las gentes del pueblo.

23  En la edición *princeps* están de tal modo distribuídas las interrogaciones de este pasaje que no tienen las frases sentido al-

ojos de un muchacho; que hice contra la voluntad
de Dios lo que no osara contra la de otro como
yo. ¿*Quid feci* cuando pequé? Injurié a mi Criador,
hollé al unigénito Hijo de Dios, que murió en
5 una cruz por mí; entreguéme a sus enemigos los
demonios para siempre; irrité contra mí aquella
gran majestad e infinito poder de Dios; híceme
terrero de su ira y saña. ¿*Quid feci* de todas las
riquezas divinas y del mismo Dios? Que lo di por
10 un puntillo de honra, por un interese de una paja,
por un vilísimo y asqueroso deleite. *Quid feci?*
Que me arrojé y metí en un cenagal y hediondez
de donde sólo Dios me puede sacar, admitiendo
yo su divina ayuda; herí mi alma de una heri-
15 da mortal, que no puede ser curada, ni puede
ya sanar, sino con la sangre y vida de un solo
Hijo de Dios, azotado, escupido crucificado y
muerto por mí. *Quid feci?* Que me hice compañera

---

guno; por eso he adoptado el orden que traen otras ediciones. En
la de Riv. están también alteradas.

8   *terrero;* ya queda indicado en nota anterior que equivale a
blanco u objeto.

10   *interesse*, por interés. Muy frecuente en los clásicos la *e* para-
gógica de este vocablo, que le da forma latina. «¿Cuándo me viste,
Señor, embidiar o por ningún *intercsse* ni resabio tu provecho es-
torcer?» *Celest.*, I, 87.

«Amistades que nacieron
Por *interesse*, aunque aplacen».

Castillejo, *Obras de conversación y pasatiempo*,
III. 225, «Clás. Cast.»

de los demonios, dime la muerte y avecindéme en los infiernos con ellos para siempre, desterréme de los cielos a fuego sin fin. Tras este *Quid feci?* viene luego el *Surgam, et ibo ad patrem meum*, que dijo aquel perdulario del hijo pródigo: «Levantaréme y volveréme a mi padre». Derrocaréme a sus pies, y allí lloraré; diréle que le he ofendido, y al cielo en que Dios está; que ya no merezco aquel regalado nombre de hijo, perdido por mis maldades. ¡Oh Padre de misericordia, recíbeme en tu casa! ¡Oh cuántos jornaleros trabajan en tu hacienda hartos de mantenimientos; y yo, hijo otro tiempo regalado, muero de hambre en tierra ajena!

¿Pués será posible ¡oh Padre de clemencia! que no me querrás recebir si voy a ti? ¿Que me volverás el rostro, que me cerrarás la puerta, que no te acordarás de aquel dichoso tiempo, cuando me tenías por hijo, y yo a ti por padre; cuando me sentabas a tu mesa, me dadas aquel pan sabroso de tu cuerpo, y el vino celestial de tu sangre? Pues ya yo voy a ti, ¡oh Fuente de vida!, ya me contentaré con las migajas que de tu santa mesa sobran. Y si me huyeres, bien sé que no podrás apartárteme mucho; ya se dónde te hallaré; sobre un monte te alcanzaré; allí me esperarás, los pies clavados porque no me huyas, y cosidas las manos porque no me castigues. Allí me abrirás esa sagrada puerta de tu

---

1   *avencindéme;* aquí tiene la acepción de tomar vecindad o domicilio: en otros pasajes lo usa en sentido de *acercarse.*

costado, donde yo ponga y esconda mi alma, y la
guarde de tu castigo. Esta es la vuelta del hijo perdulario, que conoció el estado vil de porquerizo y
gañán, en que le habían traído sus pecados, como
5 nos lo dijo bien uno en los versos siguientes:

### SONETO

De padre y de consejo despedido
aquel mozo, avisado en propios daños,
do libertad, riqueza y pocos años
10 hicieron siervo al que ante era servido;
Viéndose por su culpa tan perdido,
dice allá donde está en reinos extraños:
«¡Qué tarde llegan seso y desengaños,
pues tras guarda de puercos han venido!
15 «Quiérome ir a mi padre a do primero
gocé el nombre de hijo mal guardado;
quizá querrá por siervo recogerme.
«¿Si huye? No hará, que en un madero
me esperará el buen Jesús, por mí enclavado,
20 y el corazón rasgado, a do esconderme».

---

3 *porquerizo*, «el que guarda puercos».
4 *en que*, en lugar de *a que*.
18 *no hará*, forma elíptica, por no tal hará o no lo hará.

## XII

Tras esto viene lo de Oseas: *Vadam et revertar ad virum meum priorem quia melius mihi erat tunc, quam nunc*, que dice que el alma perdida, cuando llegue al conocimiento del *Quid feci*, que tuvo la 5 Magdalena. Quiérome ir y volverme a mi primer marido, que mejor me iba entonces cuando estaba con él que ahora. Lo primero dice: *Vadam*. Quiérome ir, porque así como por el pecado se va un alma de Dios, y se aparta y aleja de él, así también se 10 acerca y avecinda al demonio; porque cuanto más nos alejamos del un extremo más nos allegamos al otro. Y por esto se dice del hijo pródigo que se fué a una región muy apartada, porque siempre el pecador está lejos de Dios, que es nuestra salud, y 15 así dijo el real profeta David: *Longe a peccatoribus salus*. Lejos está, Señor, tu salud de los pecadores. Y es así por cierto, que no hay cosa más lejos que cielo y infierno, ni extremos más apartados que Dios y el demonio. Pues luego, estando el pecador 20

---

2  Osea., 2.

11  *avecinda*, en su acepción de acercarse o mejor avecinarse.

16  *Sál.*, 118.

en un infierno de pecados, y vecino y hecho uno
con el demonio, bien se sigue que está muy lejos.
Dice pues nuestro Profeta que el primer paso es
*Vadam!* Iréme; porque así como por el pecado se
5 apartó de Dios y se acercó al demonio, así por la
penitencia se aparta del demonio y se acerca a Dios.
Tras el *Vadam* se sigue en Oseas el *Revertar.* Volverme quiero, que es la conversión que Dios pide a
los de su pueblo, y en ellos a todos los pecadores,
10 diciendo por el profeta Isaías la huída y la vuelta;
*Convertimini sicut in profundum recesseratis filii Is-*
*rael.* Volvéos a mí, hijos de Israel, pues os habéis
apartado, y sea tanta la vuelta cuanto lo fué la huída. Volveréme, dice, a mi primer marido. Habla el
15 Señor con el alma debajo de metáfora de matrimo-
nio, y llama al alma su esposa, y él se dice nuestro
esposo. Y de este lenguaje y estilo de hablar está
llena la Escritura Sagrada, particularmente los *Can-*
*tares* y los *Profetas.* Y la razón es porque en el
20 Bautismo nos desposamos con Cristo por fe, como
dijo Dios por Oseas: *Desponsabo te mihi in fide.*
Desposarte he conmigo por la fe, que no me detengo aquí a declararlo, que más de asiento lo trataré en otra parte, con el favor divino. Por esto
25 también al pecar llama *fornicar* o *adulterar*; principalmente al pecado de la idolatría, porque es qui-

---

10  Isa., 31.

13  *cuanto.* Cuanta, se lee en otros ediciones.

21  Osea., 2.

tar la fe al primer esposo y marido y darla al rufián
del demonio. Dice pues: «Volveréme a mi marido
primero», porque parece que se adelanta Dios a
tomar la mano al alma, y desde la cuna se la quiere
criar a sus condiciones; que es el *Visitas eum di-* 5
*luculo,* que dice el santo Job. Madrugáis, Señor, a
visitar al hombre tan de mañana, que apenas es de
día, apenas ha amanecido ni es venida el alba de la
concepción, y ya Vos estáis a la puerta y le dáis un
ángel que os le guarde. y, en naciendo, queréis ha- 10
cer el casamiento y que el cura os tome las manos.
Porque para esto mandaba en la ley que a los ocho
días le circuncidasen el niño; en pudiendo sufrir dolor, y en estando un tantito reforzado el niño, dice
Dios, «circuncidádmele», porque, como ahora por 15
el Bautismo se perdona el pecado, así entonces
por la Circuncisión, obrando la fe que profesaban
del Mesías, que les estaba prometido; aunque ahora es por la fuerza del sacramento y allá por la pro-
fesión de la fe del Mesías. Da luego la razón de la 20
vuelta que hace a casa de su marido: *Quia melius*
*mihi erat tunc, quam nunc.* Porque mucho mejor
me iba entonces a mí con mi primer marido, que
ahora con este tirano.

---

1 *rufián,* «el que trae mugeres para ganar con éllas, y riñe sus
pendencias. El nombre es francés, *Rufien.* Algunos quieren que se
aya dicho a *rufo,* porque los bermejos dizen tener en sí alguna
inquietud», Covarr., *Tesoro.*

6 *Job.,* 7.

19 *allá* equivale a entonces.

Tomó el Señor la metáfora de una mujer perdida
que, saliéndose de casa de su marido, que la trata
muy bien, tráela muy enjoyada y vestida, su boca
es la medida de cuanto quiere; ella liviana, ingrata,
5 dale cantonada y vase con un rufián; cásase a media carta, y él llévala perdida de feria en feria, con
una vida infame, arrastrada, rota y hambrienta.
Vuelve en sí con la mala vida que le da, porque
como dice Dios por Isaías: *Vexatio dabit intellectum*,
10 el trabajo os hará abrir los ojos del entendimiento,
que es donde nació el refrán castellano, que dice:
*El loco por la pena es cuerdo*. Y dice: ¡«Desventurada de mil ¿quién me ha traído a tan mal estado?
¿Qué se hicieron mis buenos días? ¿Qué son de los
15 regalos que me hacía mi primer marido? ¿Dó mis
joyas y vestidos? ¿Cómo ando desnuda y descalza?

---

5 *dale cantonada.* «Dar cantonado, es lo mismo que irse callan-
do: tómase de dar vuelta a trascantón, trasponerse y desaparecer».
Correas, *Vocab.*, 551.—«Dar a uno cantonada es hurtarle el cuerpo,
torciendo el camino y dexando la vía recta. Y de allí se dijo: Canto-
nera, la muger enamorada, porque siempre procura la casa en lo
postrero de la calle al cantón, para que los que entraren y salieren
en su casa, se traspongan luego sin atravesar toda la calle». Covarr.,
*Tesoro.*

«Jurómelo Melisa; ¡lindo cuento,
será el ver que la he *dado cantonada!*»
      Tirso de M. *El Vergonzoso en Palacio*, 37.

6 *cásase a media carta.* Es lo mismo que «amigarse a solas».
Correas, *Vocab.*, 544.
      9 Isaí., 28.

Quiérome volver a mi primer marido y dejar este rufián que me maltrata».

Esto mismo es lo que nos pinta Dios por Oseas, que dice el alma: «¡Mejor me iba a mí entonces que ahora; cuando yo no era galana, cuando yo no sabía 5 si había ventanas en casa, cuando yo no miraba sino a la tierra que me había de comer, y al cielo de donde el Hijo de Dios vínome a salvar; cuando yo ayunaba, y oraba, y trabajaba, y callaba! ¡Oh, qué descanso traía en mi alma! ¡oh, qué paz! ¡oh, 10 qué sosiego en mi corazón! ¡Oh, cómo entonces no temía la muerte, ni me espantaba el infierno, ni me asombraba la hora de la cuenta! ¡Oh, que regalo, y que dulzura sentía en mi alma, en acordándome de Dios, en alabarle, en llamarle en darle gracias 15 por las mercedes que me hacía! *Vadam*, pues, *et revertar ad virum meum priorem*; que este no es sino rufián tirano. ¡Alma mía adúltera, alma mía traidora, desleal, fementida, mira que estás en poder del demonio, esclava de un tan gran tacaño y pesado 20

20 *tacaño*, «el vellaco que es astuto, y engañador; del nombre Griego κακοϐ.» Covarr., *Tesoro*. En esta misma acepción está tomado en Quevedo, «Historia de la vida del buscón, llamado don Pablos, ejemplo de vagamundos y *tacaños*».—«Dentro de este sentido peyorativo hubo matices poco precisos —dice Américo Castro, Ed. del *Buscón*, «Clás. Cast.»— hasta llegar al sentido actual de «avaro, miserable»; Torres Naharro llamó a la Roma de los Pontífices, *Carnicera de los buenos, Esclava de los tacaños*». *Propaladia* I, 38. «Garay era grande *tacaño* y llevaba ya pensada la burla». C. Solórzano *La Garduña de Sevilla*, pág. 155. «Clás. Cast».—«Y porque éste su bien hazer es virtud, y no miedo, por esso dize luego el Apóstol que no

dueño! ¡Mira alma mía, que estás sin Dios, tu Vida, tu Padre, tu Esposo, tu Amado, llagado por ti, muerto por ti, abogando ante el Padre por ti!» Este es el *ut cognovit*. Pero veámoslo en la Magdalena.

---

lisonjea [la caridad] ni es *tacaña*». Fr. L. de León, *Nombres*, t. III, pág. 136.

# XIII

*Ut cognovit.* En cayendo en la cuenta, en comen-
zando la luz divina a deshacer aquellas tinieblas de
su entendimiento, comienza a pensar en su mal estado, en la mala vida pasada, y avergonzarse y  5
afrentarse de sí misma. Mira la justicia divina, ve a
Dios airado, cerrado el cielo, el infierno abierto, y
arder aquel fuego sempiterno que le esperaba. Comienza a entrar en cuentas consigo. ¿Qué es esto,
desventurada mujer? ¿Quién me ha puesto tal? ¿Qué  10
son de tantos años tan mal gastados? ¿Qué se han
hecho mis pasados contentamientos? ¿En qué van a
parar todas mis esperanzas? ¡Oh, mujer engañada!,
¿Cómo he vivido con tanto descuido? ¿Cómo no me
acordé, desacordada, que pasaban los días como  15
viento? Véome en un abismo de maldades donde
no puedo salir. ¿A quién me volveré, que me reme-
die? ¿Quién me socorrerá en tanta desventura? Si
me vuelvo a los hombres, esos me han traído a tan
desdichado estado; si a Dios me vuelvo, téngole  20
ofendido; diráme que basta lo que ha esperado y
que, teniéndole por enemigo, cómo me atrevo a

---

10  *tal*, equivale a así, de este modo.
16  *donde*, por de donde.

ponerme en su presencia; si al cielo me vuelvo, no
le osaré mirar con estos torpes ojos, empleados en
mirar maldades y torpezas; si a los ángeles que me
ayuden, siendo tan puros, ¿cómo querrán mirar tan
5 mala y pecadora mujer como yo? ¿Pues qué haré en
tanta desventura, o quién me dará consejo en esta
perdición? Tu misericordia, Señor, me esfuerza, y
mis maldades me desmayan; sé que eres, clementísimo, pero yo gran pecadora. Si tu santísimo Job
10 decía: *A facie ejus turbatus sum, et considerans eum
timore solicitor: Deus molivit cor meum, et omnipo-
tens conturbavit me.* Espántame tanto la grandeza
de Dios nuestro Señor, dice tu santo amigo, que en
acordarme que me he de ver en su presencia, me
15 turbo y no sé de mí. Pues si me paro a considerar
quién es, los huesos me tiemblan y de miedo no
puedo sustentarme. Dios y este espantoso nombre suyo me muelen y quebrantan el corazón, y el
Omnipotente me asombra y turba. Pues dime, Dios
20 espantoso, ¿qué haré yo, siendo tan gran pecadora,
cuanto Job gran santo? *Usquequo, Domine, oblivisce-*

---

3 *que*, con sentido final, para qué.

9 *Job*, 23.

14 *en acordarme*, que se puede resolver en el gerundio *acordándome*, como ya queda indicado, pues ocurre con tanta frecuencia en
esta obra, o por otra forma infinitiva, por ejemplo, *que con sólo acordarme.*—‹... mucho más lo es *en querer* saber qué es lo que los reyes
hazen›. Guev., *Menosprecio*, 37.

15 *Pues si.* La ed. de Riv. trae *Pues cuando*.

17 *espantoso;* en su acepción de *asombroso, que causa asombro y
temor.*

*ris me in finem? usquequo avertis faciem tuam a me?*
¿Hasta cuándo me tendrás olvidada para siempre?
¿Hasta cuando apartarás tu rostro de mí? ¿Hasta
cuándo Señor me dejarás en el cieno de mis maldades? ¿Hasta cuándo tardarás en dolerte y haber 5
misericordia de esta mujer desventurada? *Quandiu
ponam consilia in anima mea: dolorem in corde meo
per diem?* ¿Hasta cuándo, Dios y Señor mío, diré,
*mañana, mañana?* ¿Cuándo me acabaré de determinar? ¿Hasta cuándo tardaré en pensarlo y alargaré 10
la consulta de mi vuelta y estaré con este dolor en
el corazón? *Usquequo exaltabitur inimicus meus super
me? Respice et exaudi me, Deus meus.* ¿Hasta cuándo
se alabará mi enemigo de mí, y me tendrá vencida?
¡Ah Dios mío y Señor mío! ¡Vuelve esos piadosos 15
ojos a mirarme y oye mi llanto, Señor mío! *Ilumina
oculos meos, ne unquam obdormiant in morte, ne
quando dicat inimicus meus: Prevalui adversus eum.*
Alumbra mis ojos, y desbarata con tu soberana luz
las tinieblas de mi alma, porque no duerman el 20
sueño de la muerte y diga mi enemigo: «Prevale-
cido he contra ella».

## SALM. 12.

¿Hasta cuándo, Dios mío,
te olvidarás de mí, para valerme 25

---

14 *se alabará mi enemigo de mí*, es decir, se gloriará de mi ruína,
de tenerme sometida.

19 *desbarata*, equivalente a deshace.

con tu gran poderío,
sin quien he de perderme,
y apartarás tu rostro, por no verme?
    ¿Hasta cuándo, ¡ay! perdida,
5    tardaré el consultar el enmendarme,
y de tan triste vida
podré desenredarme,
y a tu manada, ¡oh gran Señor!, tornarme?
    ¿Cuándo será aquel día
10    que el corazón descanse de su duelo,
y el alma tibia y fría,
desecho ya su hielo,
se abrase en amor tuyo, oh Rey del cielo?
    ¿Hasta cuándo conmigo,
15    ¡ay alma desdichada! en mi despecho,
mi sangriento enemigo
se ensalzará en su hecho,
robando los despojos de mi pecho?
    ¡Vuelve esos claros ojos
20    y rompe este ñublado con tu lumbre;
y arranca los abrojos
de la vieja costumbre
del vicio, tú que moras en la cumbre!
    ¡Oyeme, Señor mío,
25    Dios mío, pues te llamo; y de tu cielo
quebranta el brazo y brío
del príncipe del suelo,
que esparce del pecado el mortal hielo!

---

3   *por no verme*, lo mismo que *para no verme*.
20   *ñublado;* ya en desuso, por nublado.

«Por lo cual quedan mis ojos,
con la sobra del pesar,
obligados a llorar
los *ñublos* de tus enojos».

C. de Castillejo, *Obras de Amores*, II, 152.

Alumbra los mis ojos,
porque jamás la sombra de la muerte
apañe mis despojos,
y el enemigo fuerte
diga: «Prevalecí, no hay defenderte».                    5

No tengan tal contento
los que traen mi alma atribulada,
ni salgan con su intento;
que esta gente malvada,
se alegrará, con verme derrocada.                        10

Mas yo, mi Dios, espero
en tu misericordia, que es el puerto,
do el roto marinero
halla el remedio cierto:
¡Piedad, Señor, socorre un pecho muerto!                15

---

1 *alumbra los mis ojos.* Todavía era frecuente en tiempos del autor el artículo anteciendo al pronominal posesivo.

3 *apañe.* «Vale arrebatar súbitamente de alguna cosa, como el amenaça que hazen a la gente ruyn, diciéndoles: yo os prometo que si apaño un garrote». Covarr., *Tesoro.*—Como sinónimo de *hurtar* o *sustraer* es muy frecuente, sobre todo en la novela picaresca. «Todo su afán ponen en apañar haciendas ajenas». T. Ramón, *Sermones,* Dom., 21, Trin., I.

5 *no hay defenderte,* infinitivo sustantivado de uso constante en los clásicos y que tanto emplea el P. M. de Chaide: equivale a *no hay defensa,* o a *no vale defenderte,* según la opinión de Bello (*Gramática* § 1091) o *no cabe,* como quiere Rodríguez Marín.—«Porque le hago saber que con la Santa Hermandad *no hay usar* de caballerías». *Quijote,* t. II, p. 220.

10 *con verme;* equivalente también a un gerundio, *viéndome.*—«No debe el cortesano cometer el pecado *con pensar* que del Rey no será sabido». Guev., *Menosp.,* 157.

13 *roto;* derrotado o deshecho.

«*Roto* casi el navío,
a vuestro almo reposo
Huyo de aqueste mar tempestuoso».

Fr. L. de León, *Poesías,* 6.

¿Qué te haré, oh Padre de misericordia? Y pues
que en las criaturas no hallo remedio, sino mayor
perdición mía, quiérome ir a ti, clementísimo Dios.
Tú que eres fidelísimo y no te puedes negar a ti
5 mismo, quizá me querrás recibir. Oído he, Señor,
que tú dijiste: «No he venido a llamar a los justos,
sino a los pecadores a penitencia». He aquí la mayor pecadora de cuantas viste. Si dices, Dios de
mi alma: «No tienen necesidad los sanos del médi-
10 co, sino los enfermos»; he aquí la mayor de las en-
fermas. *Quia non est sanitas in carne mea a facie iræ
tuæ.* No hay parte sana en mi cuerpo y alma, delante el rostro de tu saña. Si me dices que basta lo
que me has sufrido, y que ya muchos años me has
15 esperado y yo, desconocida, ingrata, jamás me he
movido a penitencia, espérame esta vez ¡misericordia inmensa! y toma de mí la enmienda que qui-
sieres. A ti voy, fuente de vida eterna; yo me pondré en tus manos, y pues ellas me hicieron, ellas
20 me remediarán. Espérame, dulce Jesús, no huyas de
tan gran pecadora; espérame que voy a ti. Y si
aquel pecador David quiso más ponerse en tus manos que en las de los hombres, yo también me
pondré en ellas. Y si por mis grandes maldades
25 me mandares vender, como el de los diez mil talentos, cómprame tú, clementísimo Señor, y yo ser-
viré en tu casa, que en las casas de los señores hay
hijos y esclavos. Toma por tanto esta tu esclava

---

28   *toma*, por recibe o admite.

para servir y lavar los pies de tus santos. Sé, Señor, que saliste a recibir al hijo pródigo y le echaste los brazos a cuestas, llorando de contento; no pido yo tanto, Padre de misericordia, no que me salgas a recibir, sino que me esperes solamente. No me huyas, ¡oh Amador de los hombres!, detente un poco, aguárdame, que ya voy a ti. Ayer resucitaste aquel mozo, hijo único de su madre, y sus lágrimas te movieron a misericordia. No tengo yo madre viuda que me llore ni quien ruegue por mí; mas tu misericordia será mi abogada y ella hará mis partes, y yo lloraré tanto mi alma muerta en pecados que merezca oír de tu boca, *Mulier, noli flere* que dijiste a la viuda; y mi alma saldrá de la sepultura, donde por mis maldades está sepultada en el infierno.

---

3 *echarte los brazos a cuestas*, es decir sobre los hombros, o en otros términos, le abrazaste.

11 *hará mis partes*, es lo mismo que hará mis veces, o llevará mi defensa. Es tan común que huelga aducir ejemplos.

## XIV

Pero dame licencia, oh buen Jesús, para descansar a mis solas un rato contigo, y entremos en cuentas los dos, y pon tu misericordia de mi parte para que pueda yo quedar con victoria. Dime, Señor de las misericordias: ¿quién podrá contar, o cómo se sabrá encarecer, o quién se acabará de espantar de aquel famoso banquete que haces a los ángeles del cielo por la conversión de un pecador, a donde aquellas beatísimas mentes angélicas, aquellos soberanos príncipes de tu casa y Corte, comen con un gozo inefable, y se regocijan y hacen sarao, como tú, Señor, lo dices por tu sacratísima boca? Luego, misericordioso Dios, más te agradan a ti las penas de penitencia que las del fuego del abismo. Dime, Dios mío: ¿y tú no eres tan justo como misericordioso? ¿O por ventura usas así de tu misericordia que te olvidas de tu justicia? Pues siendo misericordioso, ¿querrás que el pecador no satisfaga

---

8 *espantar*, que tantas veces ocurre, en la acepción de asombrarse, admirarse.—«*Espantáronse* todos los de la venta de la hermosura de Dorotea, y aún del buen talle del zagal Cardenio». *Quij.*, t. III, p. 9.

17 *usas así*, por usas de tal modo.

y se queje de ti tu justicia? O siendo justo, ¿querrás
que se castigue y no haya lugar tu misericordia?
Pero si yo he de ser castigada y tu justicia satisfecha y tu misericordia desagraviada, pregúntote,
juez justo: ¿con qué penas se cumple mejor con 5
esto, con las del infierno o con las de la penitencia?
No me puedes negar sino que con las de la penitencia, porque éstas justifican a los penitentes, las
otras endurecen a los impenitentes; con éstas los
penitentes se hacen mejores, con las otras los da- 10
ñados se tornan peores.

Luego, pues eres justo, guarda justicia, y pues
con la penitencia se paga tu ofensa, suplícote que
te agraden más estas mis penas que las del infierno;
porque con éstas quitarás y vengarás lo que te 15
desagrada en mí y me harás agradable a ti. ¡Dulcísimo Hacedor de misericordias! ¿Ya no sabes tú
que nadie puede venir a ti, si tú no lo sacares de
sí? ¿Tú no convidas a que vengan a ti, y les das el
favor para salir de sí y venirse a ti? Pues luego ra- 20
zón es que al que con tu favor, y según que tú le
das aliento se esfuerza para seguirte (¡perdóname,
Rey mío, que me atrevo a decirlo!), que quedas
obligado a ayudarle con tu gracia, y pues te llama,
obligado estás, conforme a como te obliga tu gran 25
misericordia, a oírlo. Esta palabra nos dió tu pro-

17  *ya*. Trasposición frecuente en los clásicos, equivale a *¿no sabes tú ya?* o *¿pues no sabes?*, etc.

19  *tú no*, etc., por *¿no convidas tú?*, etc.

feta: *Non confundar, quoniam invocavi te*. No seré avergonzado por haberte llamado. Pues mira que, sin falta, los que piden y no alcanzan, quedan afrentados. Heme aquí que te llamo, que te pido, que
5 invoco tu misericordia, que te pido la palabra; no consientas que me vuelva avergonzada, si soy de tu rostro desechada.

Y si me reprendes, Dios de misericordia, de atrevida, pues oso entrar en razones contigo, reconoce
10 cuyas son las palabras que hablo en tu presencia y verás que está de mi parte la justicia. Tuyas son, Señor; tú me las dijiste en mi defensa, para que yo quedase libre de ofensa. ¡Alto Dios!, ¿qué esclavo hay que si vuelve a su señor y pide castigo de su
15 yerro, porque huyó cuando le tuvo en su casa, le cierre la puerta cuando vuelve a ella? He aquí una esclava, peor que Agar, pues que huyó aquella de casa de una mujer que tenía por señora, y quizá que la trataba muy mal; mas yo huí de casa de mi
20 Dios y Padre clementísimo, donde era regalada, y me vuelvo, mi Dios; castigo demando, pero con él pido que me recibas en tu casa. Tú que no me desamparaste huída, ¿cómo no me recibirás vuelta y enmendada? No me desamparaste, ni dejaste de lla-
25 marme, ni aun ahora cesas; si no ¿cuyos son estos mis deseos con que muero por reconciliarme con-

---

1 Sal., 30.
7 *de tu rostro*, es decir, de tu presencia.
20 *Dónde*, por *de dónde*. *Passim*.

tigo, con que deseo volver en tu gracia y amistad? ¿Dónde son estas acusaciones contra mí misma en favor de tu justicia, sino que son dones de tu misericordia con los cuales me previenes como con bendiciones de dulzura?

¿Cuáles son las obras preciadas de tu grandeza, sino quitar nuestra miseria, perdonarnos, librarnos, salvarnos, prevenirnos, aun cuando no podemos venir a ti? Pues si tu justicia no te estorba para que obre estas cosas tu misericordia en los pecadores, aun cuando están más apartados y olvidados de ti, ¿cuánto menos te estorbarán cuando con tu favor se vuelven a ti? Si me dices, Señor, que así como te sirvo flojamente así también alego por mí tibiamente, razón tienes, Dios mío; mas ¿tú no sabes y conoces nuestra flaqueza? Pues ¿qué mucho es que el enfermo haga a su Señor servicios enfermos? Y qué señor hay que del siervo flaco pida servicios fuertes, del procurador o abogado ignorante quiera alegaciones eficaces? Pues ¿qué maravilla es que de poco yo ofrezca poco, y que tú te contentes con poco? Y si me dices que culpa mía es el ser pocos, pues aun esos no merezco, respóndote, Señor, que bien sabes que, si el deudor ha llegado a tanta pobreza que del todo le falta el caudal, nadie será tan cruel que quiera que en tanta pobreza le pague, porque a nadie se le pide lo que se tiene por imposible, principalmente si la tal pobreza le desplace. Bien sabes tú, justísimo Juez, cuánto me desagrada el verme tan pobre, que no te pueda hacer servicios ricos y dignos a tus ojos. Y si alguno por su culpa cayó enfermo, cuando ya lo está, nadie le pedirá las fuerzas de gigante.

5   Luego no debes, Señor, pedirme las obras fuertes estando enferma, que hiciera con tu gracia y estando sana. Respóndeme, ¡oh Amador de los hombres! ¿No miras que si no perdonas a esta pecadora, siendo hacienda tuya, que conservas tus enemigos en 10 la posesión de lo que es tuyo? ¿Pues hay alguno tan cruel para consigo que, pudiendo sacar la heredad de manos de su enemigo, que se la disfruta y se la tiene usurpada, que la deje perder? ¡Oh, Hermosura de justicia! y ¿cómo sufres perderme en poder de 15 mis enemigos? Y si pudiendo socorrerme me desprecias, ¿no ves, Señor, que ayudas a tus enemigos,

---

9 *tus enemigos.* Complemento directo de persona sin preposición: es corriente en todo el Siglo XVI y XVII; pero se da el caso frecuentísimo en los clásicos de usar la preposición con el complemento directo de cosa; comp.: «Desprecian *a todo* lo que con Dios se autoriza». Quev., *Providencia de Dios.* Riv. XLVIII, 169.

¿Qué lazo de diamante
(ay alma!) te detiene y encadena
a no seguir *tu amante?*

Fr. L. de León, *Poesías*, 43.

14 *sufres,* toleras o permites. «Esto ni se *sufre*». *Lazarillo*, 146. «Aun *padescen* por la negra que llaman honra, lo que por vos no *sufrirían*», id. 183. «Nótese —escribe Cejador —la diferencia entre *padecer* y *sufrir. Sufrir* es en castellano *padecer sobrellevando con paciencia... Sufrir* es tolerar y sólo por galicismo lo emplean hoy como *padecer*». Ibid.

no desposeyéndolos de lo que es tuyo? Pues, *Numquid bonum tibi videtur, si calumnieris me, et opprimas me, opus manuum tuarum, et consilium impiorum adjuves?* ¿Parecerá bueno a tus ojos, Señor, que siendo yo obra de tus manos, me oprimas y me acuses, y ayudes al consejo de los malos? Pues quiero ahora, Dios de misericordia, alegar de mi favor tu justicia, pues en tu presencia me falta la mía.

Digo, pues, Señor, que soy hacienda tuya; lo primero, por el derecho de la creación, porque por cierto tú me criaste, Señor Jesús, Dios mío, Señor mío, único, verdadero y solo. Soy tuya, por el derecho de la herencia, porque «a ti te constituyó el Padre por heredero universal por quien hizo los siglos», como dice tu Apóstol. Tuya soy, Señor, por el derecho de la compra que hiciste de mí, comprándome con el rico precio de tu sangre, como el mismo Apóstol lo dice. Tuya soy, dulce Jesús, por derecho de galardón y jornal que tu padre te debía, por el servicio que con morir en la cruz le hiciste. Como lo dijo tu Padre por Isaías: «Porque se entregó en manos de la muerte y no se despreció de

4   *Job.,* 10.

15   *Hebr.,* 1.

18   *I Ad Cor.,* 6.

19   *jornal,* sinónimo de estipendio, tomado en sentido figurado. «El estipendio que gana el trabajador en un día entero por su trabajo». *Dicc. Acad.*

21   Isai., 53.

22   *no se despreció,* por no se desdeñó.

ser contado entre los pecadores, verá una larga su-
cesión de hijos, y dividirá los despojos, que quitará
a los valientes», que son los demonios. Tuya soy,
mi Dios, por el derecho de justísima guerra, cuando
5 decías: *Obumbrasti super caput meum in die belli.*
Sobre tu cabeza te puso el padre un tirasol el día
de la batalla de tu pasión, porque no te asolease el
calor, y te estorbase en el gloriosísimo día de tu
victoria, cuando venciste las potestades aéreas y
10 triunfastes de ellas públicamente en una Cruz. Tuya
soy, buen Jesús, por el derecho con que tu Padre
te me adjudicó en aquel pleito, cuando alegabas en
mi favor, delante tu Padre, cuando *Fecisti judicium
meun et causan mean*, y allí venciste por mí. El de-
15 monio alegaba mis pecados que yo cometí contra
ti; tú alegabas la sangre que derramaste por mí. Tú
dijiste *Nunc judicium est mundi; nunc princeps mundi*

---

5   *Sal.*, 139.

6   *tirasol.* Este vocablo no se halla registrado ni en el *Dicc. de
la Academia* ni en el de *Autoridades.* Además del P. Malón de
Chaide, lo usa el casticísimo P. Pedro de Vega: «La sombra la hacía,
no con sombreros o *tirasoles,* sino con un escudo». *Declaración,* etc.
Salm. 7. Ed. cit.—Claro es que de ambos textos se colige la iden-
tidad de *tirasol* con *quitasol;* pero bastaría la autoridad de estos dos
grandes clásicos para dar vigencia a ese vocablo no recogido aún
por la Academia.

13   *delante,* adverbio usado con el valor de la preposición *ante.—*
«Huye *delante* mí, malvada Clori». Figueroa, *Egloga a Tirsi.—*«¿Aún
hablas entre dientes *delante* mí, para acrecentar mi enojo e doblar
tu pena?». *Celestina,* 178.

13   *Sal.*, 9.

17   Joan., 12.

*hujus ejicietur foras.* Ahora entro en los estrados con
el mundo; de esta vez será lanzado de su posesión
el príncipe de las tinieblas. Al fin soy tuya por el
derecho de la donación que tu Padre te hizo de mí.
Tú dices: «Padre, no ruego por el mundo, sino por    5
los que han de creer en mí». Yo soy una de las que
creen tu palabra, luego por mí rogaste también. Y nadie viene a ti, que es creer en ti, si tu Padre no le tra-
jere a ti; luego pues yo creo, tu Padre me ha traído.
El traer es dar, luego por donación soy tuya. Pues    10
recíbeme, ¡oh Pastor eterno de las almas! como a
tuya, para que a ti viva y por ti viva y frutifique
para ti, haciendo obras dignas de tus ojos. Y pues
por tantos títulos te me debo y tienes derecho en
mí, a ti te toca cobrar lo que es tuyo, salvarlo de    15
manos de tus enemigos, defenderlo y ampararlo.

Si me dices, Dios de mi alma, que he disipado la
heredad que me entregaste que guardase, y que la
labrase y velase, dices, Dios mío, mucha verdad;
no solamente no la guardé, mas di a tus enemigos    20
(¡ay perdida!) lugar y entrada para que se te alzasen

---

5   Joan., 17.

12   *a ti viva*, es decir, para tí viva. Dativo poco usado en esta
forma.

18   *que guardase*, conjunción final, *para que*.

22   *se alzasen*. Ya queda explicado el sentido de *apropiarse*. Esta
misma significación tiene la frase en en el B.º Avila: «La otra cosa
es *alçarse* con la palabra de Dios y con el entendimiento de ella».
*Epist. Esp.* «De donde con seguridad pudiéramos *alzar* algún par
de capas». M. Alemán, *Guzmán de Alfarache*, II, 2, 4. Ed. cit.

con ella; de allí te han hecho guerra con mis despojos, han muerto muchos de los tuyos con mis
ocasiones, han triunfado de muchas almas tuyas,
que si no por mis liviandades fueran santas, y aun
5 eso es lo que ahora me atormenta. Esto he hecho,
confiésolo, Señor, y así es. ¿Pues será posible, ¡oh
Amante eterno! que ya que perdiste la parte, quieras perderlo todo? ¿Será posible que no te des por
satisfecho, con que el pecador haga lo que puede
10 con tu gracia? ¡Vuelve, Señor, vuelve a mí que te
llamo, socorre esta alma perdida, toma en descuen-
to las lágrimas y suspiros que te envío y borra mis
pecados con tu misericordia! Súfreme, buen Jesús,
aun hablar otro poco contigo, y perdona al polvo y
15 vil gusano que presume de responder a su Dios.
¿Ya, Señor, no sabes que es imposible venir alguno
a ti, ni moverse para ti, sino fuere traído de ti? Pues
si sólo a ti es posible, luego a todos los demás es
imposible; y si a ti sólo es posible, luego nadie
20 está obligado a hacerlo, sino tú a quien sólo le es
posible; luego si alguno debe traernos, tú sólo eres,
y por eso de ti sólo y a ti sólo lo pedimos.

Bien es verdad, mi Dios, que los hombres ingra-

---

4   *si no por*; frase elíptica, *que si no es* o *no fuera por* etc.

4   *y aún*, equivale aquí a decir, y *finalmente*, ya que más que
ponderativo este *aun*, es término de una enumeración.—«Porque al
mejor tiempo la vida los engaña, los malos los saltean, los pesares
los prendan, los amigos los dexan, persecuciones los acaban, des-
cuydos los atormentan, sobresaltos los espantan y *aun* ambiciones
los sepultan».—Guev., *Menosprecio etc.* 67.

tos a tanto bien, no conociendo la soberana bondad tuya, se van de ti, rompiendo los lazos del regala-
dísimo amor con que a ti los atas; pero el tener los
pecadores contigo y volverlos a ti, no es posible a
otro sino a ti; y así como es propio de su cosecha 5
el ser flacos, por lo cual se apartan de ti, así y mucho más es de tu naturaleza ser fortísimo para tenerlos contigo y revocarlos a ti. Pues venza, Señor,
tu fortaleza a nuestra flaqueza, tu virtud a nuestra
malicia, tu paciencia a nuestra pertinacia, y llévame 10
a ti y sácame de mí para tenerme siempre contigo.
¡Señor y Cristo mío! ¿tú no dices que vienes a salvar
pecadores? ¿No viniste a salvar y buscar lo que había perecido? ¿Pues yo no soy la pieza y drama perdida por ese suelo? Luego, Señor, búscasme y bús- 15
cote; luego quieres que yo te halle a ti, y tu quieres hallarme a mí. Pues ocúrreme, Señor, tú a mí,
pues sabes el camino para venir a mí, y no le sé
para irme a ti ni hallaré a ti, si tu camino verdadero
no me le enseñas a mí. ¡Señor y Jesús mío! ¿no dices 20
que eres médico, que vienes a curar el enfermo?

---

14 *drama,* por dracma, «cierta moneda de plata entre los griegos, que tuvo uso también entre los romanos; era casi equivalente
al denario, que constaba de cuatros sestercios». *Dicc. Acad.*

17 *ocúrreme,* sal a mi encuentro, acude; conserva este término
tan propio todo el valor del latino *ocurrere.*

«Que donde está tu madre codiciosa
*ocurra* Venus a mi voz sincera».

Villegas, *Oda. XXIX.*

¿Yo no estoy enferma? Luego para mí vienes y por
mí remedio vienes. Pues dime, ¡oh Médico del cielo!
¿cuál es más decente, que el médico baje al enfermo, que está tullido sin poderse rodear en la cama,
5 o que el enfermo vaya al médico? Tomaste, Salud
eterna, este oficio por sola tu piedad inefable; oficio antiguo es tuyo sanar nuestras enfermedades.
Esto te pedía un enfermo diciendo: *Miserere mei
Domine quoniam infirmus sum: sana animam meam,*
10 *quia peccavi tibi.* «Habed lástima de mí, Señor, que
estoy enfermo; sanad mi alma que ha pecado contra
Vos». En Vos sólo hallaba salud vuestro profeta Jeremías, cuando decía: «Sanadme, Señor, y quedaré
sano».

15     Pues ya vos sabéis, mi Dios, que cuando uno
toma un oficio jura de socorrer con él, en siendo
requerido; y pues Vos, poderoso Médico, tomastes

3  *decente,* en la acepción de conveniente, propio. En Fr. L. de
León abundan los ejemplos a cada momento.

4  *rodear.* «Poner alguna cosa alrededor de otra o cercarla co-
giéndola en medio». *Dicc. Acad.*—«Rodear, hazer rodeos o andar a
la redonda. Dixose del verbo *rotare*». Covarr., *Tesoro.*

7  *oficio antiguo es tuyo.* Trasposición violenta y forzada, aunque
común en los clásicos.

8  *Sal.* 40. *Sal.* 6.

10  *Habed lástima,* por tened lástima.—«¡Oh almas redimidas por
la sangre de Jesucristo! ¡Entendéos y *habed lástima* de vosotras!»
Sta. Teresa, *Moradas,* t. II, 187. Ed. 1916.

13  Jere., 17.

17  *requerido,* es lo mismo que advertido, intimado o avisado.
«Ya dos horas ha, que te *requiero* que nos vamos, que no faltará un
achaque». *La Celestina,* t. II, pág. 94. Ed. cit.

éste de sanar almas, yo, enferma, invoco vuestro
oficio; sanad la mía y quedará sana. Y si me dijeres,
buen Señor, que flojamente y con tibieza pido el
ser socorrida y deseo salir de mi pecado, respóndote que esto no nace sino de la pesadumbre de mi 5
enfermedad y flaqueza, la cual, cuanto es mayor en
sí, tanto más necesidad tengo yo de la medicina y
su remedio. ¿Pues cuál de los médicos corporales
alegó por achaque, para no curar al enfermo, decirle, que tenía mucha necesidad de ser curado? Antes 10
bien, por eso pone más cuidado en su cura. Pues
¿cuánto más tú, famoso Médico de los hombres, so-
correrás mi enfermedad, cuanto es mayor mi necesidad? Porque ¿quién de los médicos puso tanto
cuidado jamás en curar algún cuerpo enfermo como 15
tu pones, Señor, en curar las almas? Tú hiciste ja-
rabe de tu sangre para templar y refrenar el calor
de la fiebre del pecado. Tú, de tu vivífica y sacro-
santa carne, hiciste triaca para contra la ponzoña y
veneno mortífero de los vicios. Tú hiciste de tus 20
llagas emplasto para las nuestras; de tu muerte sa-

---

5 *pesadumbre*, sinómino de gravedad.

9 *alegó por achaque*, pretextó.

19 *triaca*, «es un medicamento eficacísimo compuesto de muchos simples, y lo que es de admirar, los mas dellos venenosos, que
remedia a los que están emponçoñados con cualquier género de veneno». Covarr. *Tes. de la Lengua Cast.* «¡Con quán poco acatamien-
to teneys y tratays la *triaca* de mi llagal» *La Celestina*, t. I, pág. 224.

21 *emplasto*, «medicamento dispuesto en forma sólida, pero
blanda». *Dicc. Acad,*.—«Medicina espesa, sobre la cual se ponen al-

castes remedio contra la nuestra; y al fin, Señor,
todo tú eres medicina de nuestras llagas.

Y no sólo viniste del cielo a la tierra a sanarnos
de las enfermedades del alma, que son los pecados,
5 más aun de las del cuerpo que nacieron de las pri-
meras y se consiguen a ellas. Porque si te miro
bien, ¡oh Médico soberano! véote en todo milagroso; si naces, alborotas al mundo; si huyes, derrue-
cas los ídolos; si disputas, confundes las sinagogas;
10 si ayunas, desarmas al demonio; si duermes, turbas
el mar; si despiertas, mandas los vientos; si caminas,
ladrillas las aguas; si bendices, multiplicas los panes; si maldices, abrasas los árboles; si escupes,
alumbras los ciegos; si hablas, enciendes los hom-
15 bres; si das voces, resucitas los muertos; si alzas la
mano, sanas los enfermos; si te tocan la ropa, res-
tañas la sangre; si miras, conviertes a S. Pedro, ¡Oh
hombre maravilloso! ¡oh Dios espantoso! ¡oh dulcísimo, oh potentísimo! pues tu Evangelista dice de ti:
20 *Virtus de illo exibat, et sanabat omnes.* Que sale
virtud de ti y los sanas a todos.

---

gunos paños, y el tal medicamento se llama *emplasto*». Cova., *Teso-*
*ro.*—«Al cabo de tres días yo torné en mi sentido y vime echado en
mis pajas, la cabeça toda *emplastada* y llena de azeytes e ungüentos
e espantado dixe: ¿Qué es esto?» *Lazarillo*, 162.

6 *se consiguen*, por se siguen o suceden «La tercera propiedad
y que se *consigue* a lo que agora dezimos», Fr. L. de León, II, 208.

12 *ladrillas*, por enladrillas, usado metafóricamente para significar que allana como un pavimento y da resistencia a las aguas.

20 Lucœ, 6.

Pues si a todos los sanas, sáname a mí también;
Salud eterna. Que si aquel tu enfermo, David, te
daba voces: *Accelera ut eruas me.* Dáte prisa, Señor,
porque llegues a tiempo de remediarme; y otra
vez: *Domine ad adjuvandum me festina.* Señor, apre-  5
sura el paso para ayudarme; y *Velociter exaudi me.*
Oyeme en un vuelo, Dios mío, que si te detienes
un poco, será tarde cuando vengas, según el aprieto
en que estoy; y tú, mi Dios, dijiste por Salomón:
*Ne dicas amico tuo, cras dabo cum statim possis.* Si  10
puedes remediar la necesidad de tu amigo, dándole
luego lo que pide, no le hagas ir y venir con decir:
«Mañana os lo daré». Pues tu pusiste la ley, guárda-
la Señor, que, *Propter legem tuam sustinui te Domine.* Por la ley de amor que tienes puesta, te espero  15
y aguardo, Dios mío; y pues yo tengo más necesidad de tu socorro que David, date prisa, Señor, en
ayudarme. Si me opones, justísimo Juez, la muchedumbre de mis pecados, responderte ha por mí la
muchedumbre de tu misericordia; y si son muchas  20

---

2  *aquel tu enfermo*; es frecuente en los clásicos, y aun hoy en
determinados casos, ver unidos en esta forma el adjetivo demostra-
tivo y el posesivo.

«Aquesta tu alegría
Que llantos acarrea».
Fr. L. de León, *Poesías*, 28. Ed. cit.

3  *Salm.*, 30.
5  *Salm.*, 69.
6  *Salm.*, 58.
9  *Prov.*, 3.
15  *Salm.*, 129.

mis maldades, mayor es el valor de tu sangre; y si
dices que es mi deuda mucha, mucho más copiosa
es tu paga: *Et copiosa apud eum redempiio*. Mucho es,
buen Jesús, lo que yo debo, pero mucho más es lo
5 que tú pagas por mí, y aun yo pago por amor de ti.
Por amor de ti digo, porque me das tú con que pague; por amor de ti, pues que te me das tú a mí para
que pague contigo, y así eres ya mío, dulce Jesús;
míos son tus méritos, míos tus ayunos, míos tus
10 trabajos, mía ya tu sangre y mía tu pasión, pues tú
eres mío. Luego paga, Señor, por mí; si no, ¿cómo
será lo que tu dices: *Quœ non rapui tunc exolve-
bam?* Cuando yo moría, cuando yo daba mi sangre
y perdía la vida, cuando como a ladrón me azota-
15 ban y me escupían como a infame, me coronaban
como a Rey tirano, me abofeteaban como a blasfemo, desnudaban como a loco, entonces pagaba yo
lo que no había robado.

Pues si Adán hizo el hurto y tu Señor llevas los
20 azotes; si él comió la manzana, y tú sufres la dentera;
si al fin el hombre debe la deuda, y en tu persona
y bienes se manda hacer la ejecución; luego por
mí pagas, Señor, y también se ahogan mis pecados
en el piélago de tu sangre, y si yo debo la muerte,
25 tú la tomaste por mí. Porque *Si unos pro omnibus*

---

3   *Sal.* 129.
12  *será*, en el sentido de sucederá o tendrá lugar.
13  *Sal.* 18.
25  *II. Cor.*, 5.

*mortuos est, ergo omnes mortui sunt.* Si uno, que
eres tú, murió por todos, luego todos murieron en
ti. Pues, Dios mío, si muerte debía, muerte pagué
cuando morí en ti, pues tú morías por mí. Y ¿porqué ha de ser más eficaz Adán para matarnos, que 5
tú Señor para resucitarnos? Antes bien: *Si unius de-*
*licto multi mortui sunt, multo magis gratia Dei,*
*et donum, in gratia unius hominis Jesu Christi in*
*plures abundavit.* Si por el pecado de un hombre,
Adán, murieron muchos, no hay porque desmayar, 10
pues la gracia de Dios y el rico don que nos dió por
el otro hombre, Jesucristo, en mucho más abundó.

Luego, *Non sicut delictum ita donum.* Adán mortal y terreno, Cristo inmortal y Dios; al pecado
de Adán, se le sigue la muerte, a tu gracia, Señor, 15
se le sigue la vida; el delito fué condenación de
muerte en todos los hombres; la gracia es justificación de todos los hombres para la vida. Pues si todos murieron en ti, para vivir por ti, da vida, ¡oh
dulce Rey mío! a esta alma mía muerta, y vivifícala 20
con tu gracia para que siempre te alabe y engran-
dezca. Tú, Señor, que dices; «No desecharé al que
a mí viniere», recíbeme a mí que me voy para ti.
Tú que quitas los pecados del mundo, quita, buen
Señor, los míos, pues dijiste por Isaías: «Yo soy el 25

6  *Rom.*, 5.
22  Joan., 6.
23  Isai., 43.
25  Isai., 44.

que quito tus maldades por amor de quien yo soy.
Borra mis pecados, pues dijiste por el mismo: «Yo
borré y deshice sus pecados, como la nube con el
cierzo que la barre de la cara del cielo, y los deshice
5 como niebla al rayo del sol». Anega mis pecados,
tú que anegastes a Faraón y su gente en el profundo de las aguas, y cumple la palabra que me diste
por tu santo profeta Micheas: «Yo os descargaré de
todas vuestras maldades y arrojaré en el mar todos
10 vuestros pecados». Y dame licencia, Señor, que te
pida perdón con las palabras de tu santísimo amigo
Job, y diga:

## JOB. 7

*Parce mihi Domine.*

15      Perdóname, Señor, que te he ofendido;
       perdona al miserable que te llama;
       perdona el desamor que te he tenido:
          No me condenes a la eterna llama,
       mas vuelve esos tus ojos a mirarme,
20     sufre al que, por amarte, se desama.

---

4   El P. Malón traduce *cara*, como equivalente a haz o faz del
cielo, como lo hizo Fr. Luis de León.

8   *Mich.*, 7.

20   *desama*, lo mismo que aborrecerse o no tenerse amor.—«Aun
le aborrescieren las gentes, y que los grandes *desamasen* a un pobre». Fr. L. de León, *Nombres*, I, 187.

> «El amor que no es amor
> justo es que se *desame*,
> Y que desamor se llame
> con otra razón mayor.

Valga para contigo confesarme,
y válgame ante ti llorar mi ofensa,
y plégate hora un poco de escucharme;
  Que si tu gracia en esto me dispensa,
y me ayudas, Señor, en lo que digo,                    5
servirá el acusarme, de defensa.
  Pecador soy, Señor, tú eres testigo,
que a tus ojos divinos no hay negarlo,
pues desde mi niñez andas conmigo.
  Y aunque vía que a ti el disimularlo               10
era tiempo perdido, no por eso
dejé de amar mi mal y ejecutarlo.
  ¿Quién te podrá contar aquel proceso
y aquella larga historia de mis males,
que el corazón me ahoga con su peso?                 15
  Vergüenza he de pensar en los mortales
pecados, que en tus ojos cometía,
con que dejaba atrás los animales.
  ¿Quién duda, pues, que cuando te ofendía
tu gran misericordia me miraba,                      20
y, al fin, callaba, amaba y me sufría?
  Tu gran paciencia allí disimulaba,
que antiguo oficio tuyo es el tenella;
y yo, perverso, tanto más pecaba.
  Apagado se había la centella                       25
de la luz, que en el alma me pusiste,
participada de tu lumbre bella.
  Quedóse el alma en noche oscura y triste,

---

Porque el que de veras ama,
no dexa nunca de amar,
Antes quiere *desamar*
al que esta virtud *desama*.

Ibi., cit. por Onís.

18  *con que*, equivalente a con los cuales. Es muy frecuente la forma del relativo en singular con un antecedente en plural.

traspuesto el sol de tu conocimiento,
que de tu resplandor se cubre y viste.

    Así, de la virtud perdido el tiento,
me vine despeñando en tal estado
que me trajo a perder el sentimiento.

    Vine, pues, de un pecado a otro pecado,
y un abismo llamó a un otro abismo;
que así van siempre cuantos te han dejado.

    Al fin, estando ajeno de mí mismo,
entregado del todo a mi deseo,
llegado ya al postrero parasismo;

    Vuelto del ser humano en monstruo feo,
habiendo hecho en mi tan fiero estrago,
que apenas me conozco, aunque me veo;

    Viéndome estar en tan profundo lago,
aun allí no acababa de volverme
a ti, de ciego, que era un justo pago.

    ¡Oh gran Señor, que tú, por no perderme,
me fuiste allí a buscar y a despertarme
del sueño, de que yo no sé valerme!

    Comenzaste a llamar y más llamarme,
y movido a piedad, tu santa mano
me distes, con que pude levantarme.

    Pues ¿qué me queda ya, bien soberano,
sino pedir perdón de lo ofendido,
y alabar mi salud, pues estoy sano?

*Nihil enim sunt dies mei.*

    Y si dices Señor que me has sufrido,
acuérdate que nada son mis días,
y es nada todo cuanto yo he vivido.

    Pues tú, Señor, me amabas y sufrías,
¿siendo tu ser eterno y yo nonada,
repararás en las miserias mías?

---

11   *parasismo,* es igual que paroxismo.

*Quid est homo quia magnificas eum?*

Alto Dios, pues teniendo esa manada
de espíritus angélicos del cielo,
a tu servicio no te falta nada,
   ¿Qué hallas en el hombre acá en el suelo?     5
¿Qué tiene bueno el hombre? ¿De qué vale
el que tiene de lodo el mortal velo?
   Pues ¿qué quiere decir que nos le iguale
tu grandeza con esos de tu casa,
cosa que sobre el ser humano sale?     10

*Aut quid apponis erga eum cor tuum.*

Levántasle, Dios mío, tan sin tasa,
que el corazón le das. ¡Oh, rica prenda!
¡Qué piedra para engaste de vil masa!
   ¡Que porque el hombre miserable entienda     15
que te ha de amar, la das lo que decillo
no oso, que el temor tira la rienda!

*Visitas eum diluculo.*

No se contenta, no, tu amor sencillo
con dalle el corazón, aunque esto sobra,
mas tu bondad no quiere consentillo;     20
   Que de mañana vas a ver tu obra,
y luego la visitas, en naciendo,
con que nueva virtud y alientos cobra.
   Allí le está tu gracia previniendo;     25
allí le guardas, miras y rodeas,
y tú le velas, si él está durmiendo.
   ¿Qué es esto, gran Señor? ¿Y tú te empleas
en visitar un vil gusano, y haces
como que por amigo le deseas,     30

Y si está mal contigo, te deshaces
por volvelle a tu gracia; y si no quiere,
le buscas, ruegas hasta hacer las paces?

*Et subito probas illum.*

Y como el buen amigo, que se muere
por tener de quien ama la certeza,
que no la cree, si el mismo no la viere,
    Y busca en que proballe la entereza
que le tiene de amor; así, Dios bueno,
del alma pruebas luego la firmeza.

*Usquequo non parcis mihi.*

¡Alto Dios, de bondad y gracia lleno!
¿hasta cuándo estarás sin perdonarme
y me tendrás de tu clemencia ajeno?
    ¿Hasta cuándo, Señor, querrás dejarme
revolcar en el cieno de mis males,
y no querrás volver a levantarme?
    ¿No sabes tú, Señor, que los mortales
y que tienen de tierra el fundamento,
no pueden ser a los del cielo iguales?
    Pues si en los que les diste el rico asiento
del cielo por vivienda, hallaste falta
¿qué hallarás en mí, que soy de viento?
    Pues ¿es razón que majestad tan alta
se ponga con el lodo en rigurosa
cuenta, si en algo sobra o llega o falta?

*Nec dimittis me ut glutiam salivam meam.*

¡Qué priesa que me das tan espantosa,
que aun tragar no me dejas la saliva,
y el alma se me ahoga de medrosa!

---

28   *Qué priesa que me dan,* leo en otras ediciones.

¡Vuelve, Señor, tus ojos de allá arriba,
y verás si este débil pecho mío
podrá esperar batalla tan esquiva!

Tú muestras contra mí tu poderío,
dándome los trabajos a montones, 5
y no ves que me falta fuerza y brío,

Y parece que buscas ocasiones;
acaba ya, Señor, y si te cansa
mi vida miserable y mis pasiones,

Mátame de una vez, Dios, y descansa; 10
no tan despacio; vesme aquí rendido;
o perdóname y tu furor amansa.

### Peccaví.

¡Pequé, Señor, pequé, y héte ofendido!
¡pequé a tu majestad, pequé a tu cielo, 15
pecado he todo el tiempo que he vivido!

Pequé a mi alma, y he ofendido al suelo;
pequé a cuanto criaste ¡oh luz divina!
y de sólo ofenderte, al fin, me duelo.

¡Oh llaga que al más sabio desatina! 20
¿qué el siervo a su Señor y Dios se atreva?
¿qué el enfermo acocee la medicina?

¿Qué vi, Señor, en ti? ¿Cuándo en la prueba
de tu piedad hallé yo alguna falta?
¿cuándo no me ofreciste gracia nueva? 25

¿Cuándo no me llamaste, y de aquella alta
región, do el cielo mides y paseas
que de mil lazos de oro allá se esmalta,

Déjaste de mirarme? Y yo en mis feas
torpezas revolcado, no te oía; 30
y tú acabando allí lo que deseas.

Yo pecador ingrato, noche y día,
olvidado de ti y de mí, pecando,
sin mirar cuanto en ello te ofendía.

Estábasme allí tu disimulando, 35
y estábate yo allí más ofendiendo;
tu amor y mi maldad así luchando,

Estábasme, Dios mío, tú sufriendo,
y estaba yo cerrándote el oído,
y estabas tú a mi bien sólo atendiendo.
    Yo soy el que ofendí, tú el ofendido;
5   y tú eres el Señor, yo criatura;
yo soy mal siervo, y tú el más mal servido.
    Eres tú mi Hacedor, yo tu hechura;
yo soy el barro, tú eres el ollero;
tú el poderoso, yo una vil basura.
10   Yo soy, Señor, quien te dejó el primero;
y eres tú quien primero me buscaste;
y yo el que ahora se vuelve a ti postrero.
    Tú eres quien mil veces me llamaste;
yo soy quien te cerró otras mil la puerta;
15   y tú eres quien tras ella te quedaste.
    Yo soy, Señor, quien tiene el alma muerta,
tú eres vida, en quien podrá valerse;
soy yo el dormido, y tú quien le despierta.
    ¡Oh, si un *pequé* bastase y un dolerse
20   para que perdonases mi pecado!
¡Qué gloria a quien en tal pudiese verse!
    ¡Dios mío, heme aquí, que yo he pecado!
¡Señor, con tu gran ira no me asombres,
levanta al que a tus pies se ha derrocado!


25   *Quid faciam tibi, o custos hominum.*


    ¿Qué te haré, oh guarda de los hombres?
¿qué ofrenda puedo darte o sacrificio,
para que entre tus siervos tú me nombres?
    Sólo invoco, mi Dios, ese tu oficio;
30   y pues eres pastor, busca tu oveja,
que se descarrió por sólo vicio.
    Llegue, Pastor, tu silbo hasta su oreja,

---

32   *oreja;* se usaba este término corrientemente en lugar de oído:
hoy esta sustitución nos parece menos literaria, sobre todo en asun-
tos graves. «Sonido de espanto siempre en sus *orejas*». Fr. L. de

vuélvela, guarda fiel, a tu manada,
haz que deje la mala hierba vieja.

*Quare posuisti me contrarium tibi?*

Pregúntote, Señor: ¿y una nonada
tomas por tu contrario, en que se pruebe
tu brazo y los aceros de tu espada?
Hasme puesto por campo, a donde llueve
el cielo los trabajos tan sin tasa,
que no hay pecho de acero que los lleve.
Quitásteme, Señor, hijos y casa,
heredades, hacienda y el ganado,
salud, honra y estado que se pasa;
Solamente la vida me has dejado,
porque me sea más grave el sentimiento,
y viva así muriendo en tal estado.

*Et factus sum mihi metipsi gravis.*

Confieso que me falta el sufrimiento,
no para no esperar en ti, que el seso
no perderá jamás en esto el tiento.
Mas esme tan cansado este mi peso,
que he vergüenza yo mismo de sufrirme,
y esto es lo que ante ti, Señor, confieso.

*Cur non tollis peccatum meum? et quare non aufers
iniquitatem meam?*

Y pues que ves que no puedo estar firme,
mientras que a mi pecado estoy sujeto,
¿por qué tardas, Señor, tanto en oírme?

---

León, *Nombres*, II, 145.—«O bienaventuradas *orejas* mías, que in-
dignamente tan gran palabra hauéys oydol. *Celest.* 11,33.

9 *lleve*, por sobrelleve o soporte.

¿Porqué no me lo quitas, y el defeto
que ahora de tu rostro me destierra
cesará, y seré yo ante ti perfeto?

*Ecce nunc in pulvere dormiam.*

5      Mira que presto, envuelto en fría tierra,
dormiré de la muerte el sueño helado,
y el polvo acabará esta cruda guerra.

*Et si mane me quaesieris, non subsistam.*

Y allí, de los gusanos rodeado,
10    acabaras, Señor, de fatigarme;
y si mañana soy de ti buscado,
excusado será pensar de hallarme.

---

12  *pensar de;* construcción corriente.

«*Piensansse de ir* infantes de Çarrión,
por Santa María d'Alvarrazín».

*Mio Cid,* 126.

## XV

Con tales palabras, o con otras semejantes y mucho más eficaces, pedía la gloriosa Magdalena perdón al Señor. Al fin, determinada ya de dejar su mala vida y de rematar cuentas con el mundo, cuenta nuestro santo Evangelio que, tomando un vaso de ungüento precioso, se fué a casa de Simón el fariseo, adonde sabía que estaba el Redentor, convidado. He aquí, cristianos, de dónde nace nuestro daño y es, de que jamás nos acabamos de determinar. Toda la vida se nos pasa en buenos propósitos, y no tenemos más que unos tibios deseos de salir de nuestros pecados; y así, ya somos de Dios, ya del demonio, ya buenos, ya malos.

Cuenta la divina Escritura en el tercero *Libro de los Reyes*, que el pueblo de Israel dejaba muchas veces a Dios, y seguía a Baal. Había entonces en el reino un famoso amigo de Dios, celosísimo de su honra; y viendo que ni promesas ni amenazas, ni regalos ni castigos aprovechaban para enmendarse, determina de quitarles el agua y no llovió en tres

16   *Lib. III Rey.*, c. 18.

años y medio en tierra de Israel. Queriéndoles después dar agua, por mandado de Dios, hizo ayuntar a todo el pueblo en el monte Carmelo y díjoles: *Usquequo claudicatis in duas partes? Si Dominus est* 5 *Deus, sequimini eum; si autem Baal, sequimini illum.* ¿Hasta cuándo habéis de andar cojeando, dejando un Dios y tomando otro? Si el Señor es Dios, seguidle; y si Baal lo fuere, dejad al Señor y seguid a Baal. Mucha razón tenía Elías de quejarse de parte 10 de Dios, de que tomaban y dejaban dioses, y los mudaban cada semana, como si fueran camisas; porque, demás de que en materia de fe la mudanza es tan dañosa que mata al alma, aun en ley de hombres discretos es notable defeto la poca firmeza en 15 un parecer cuando es bueno.

Gran cosa es determinarse de veras un hombre, de hecho, a servir a Dios. Convirtióse nuestro glorioso padre San Agustín a la fe, y fué tan de veras su vuelta y con tanto pecho, que desde aquel punto

---

2 *mandado*, como sustantivo equivale a mandato u orden.— «... y que no se hizo por *mandado* ni voluntad del Emperador.» A. Valdés, *Diálogo de las cosas*, etc., 157.

> ‹Estos reyes cumplieron sus *mandados*
> e sson se tornados
> por otras carreras a sus reguados.›
>
> *Libro de los tres reyes de Oriente.*

12 *demás de que*, por además de.—«*Demás de que* también procuran de mudarle de blanco en negro las que les pesa haber llegado a ser viejas.› Fr. L. de León, *Perf. Cas.*, 147. Ed. cit.

tuvo bandos rompidos con los vicios, sin hacer jamás amistad con ellos. Pero nosotros, tibios, jamás nos acabamos de determinar; y por eso no se acaba nuestro pecar. Todo es juego de esgrima. Veréis dos que esgrimen con tanta cólera, que parece que 5 se han de hacer tajadas, y al cabo maldito el golpe que se dan. ¿Qué es aquéllo? Señor, es juego de esgrima, que no hacen sino señalar sin ejecutar el golpe. ¡Oh cuántos de nosotros hay que quien nos viere acometer al vicio pensara que lo habemos de 10 dejarretar, y que no ha de levantar más cabeza contra nosotros! Y si bien se mira no fué más que señalar sin sacar sangre. Somos tapices de Flandes, que pintan en un paño un Aquiles de una parte, y un Héctor de la otra, armados de punta en blanco, en 15

---

1 *tuvo bandos rompidos,* es lo mismo que tuvo guerra declarada.

6 *maldito el golpe,* es un modismo muy corriente para indicar ni el más mínimo.—«Começaba la fuentecilla a destilarme en la boca, la qual yo de tal manera ponía, que *maldita* la gota que se perdía». *Lazar.,* 100.—«Que *maldita* la gota bebí». *La Pícara Justina,* II, 1.

11 *dejarretar* o desjarretar, «es cortar las piernas por el jarrete, que es por bajo la corva y encima de la pantorrilla». Covarr., *Tesoro.* Tomado en sentido traslaticio, tiene la acepción de deshacer, derrotar.—«¡O quantos se hazen reverencias y se *dejarretan* las famas!» Guevara, *Menosprecio,* 202.—«Y allí estúvose nombrando por mía hasta que yo *dexarreté* por su respeto a Mingarrios». E. de Rueda, *Eufemia,* 77.

15 *armado de punta en blanco*; este dicho proverbial según el *Dicc.* de la *Acad.* significa «con todas las piezas de la armadura antigua». En el uso familiar se emplea también figuradamente con los verbos *ir* y *ponerse,* para indicar el atavío, etiqueta de una persona, vestida con gran esmero y cuidado.

sendos poderosos caballos que parece que vuelan;
llevan los cuellos tendidos, las crines engrifadas,
las manos juntas, abalanzadas una lanza de los
pies; los caballeros dos lanzas como sendas antenas,
5  unos anchos hierros en ellas, puestas en el ristre, y
ellos con un semblante, que parece que ya, ya, ya
se llegan a encontrar, y casi ponen miedo a los que
los miran, que no esperan sino cuándo se pasarán
una braza de lanza el uno al otro por el pecho; y si
10  volvéis al cabo de un año, hallaréis que aún se están
de la misma postura y no se han movido un solo
paso adelante. ¿Qué es aquéllo? Señor, ¿no véis que
es pintura? *Imago depicta per varios colores insensato
dat concupiscentiam*, dice el sapientísimo Salomón.
15  La imagen pintada de varios colores mueve al necio
y rudo deseo. Somos nosotros pintura de Flandes;
somos espantavillanos.

   La gloriosa Magdalena no así; mas determinóse

----

2  *engrifadas,* encrespadas o erizadas.—«El sentido de *engrifado*
parece ser el de *enrizado* o *rizado*, que lleva hecho el copete, pues
*grifo* dícese de los cabellos crespos». P. Mir, *Resbusco,* 321.

   5  *en el ristre;* «ristre es un hierro que el hombre de armas in-
giere en el peto, a la parte derecha, donde encaja el cabo de la ma-
nija de la lança para afirmar en él». Covarr., *Tesoro.*—«Bien cubierto
de su rodela, con la lanza *en el ristre*». *Quij.,* I, 256.

   13  *Sap.,* 15.

   17  *Espantavillanos,* «alhaja o cosa de poco valor y mucho brillo
que a los rústicos o no inteligentes les parece de mucho precio».
*Dicc. Acad.*

   18  *La gloriosa* etc; frase elíptica, que tiene la estructura y sabor
de la frase latina correspondiente.

de dejar su ruin vida y púsolo luego en ejecución.
En llamándola Dios con su gracia, en tocándole el
corazón, en abriéndole la oreja, luego se fué tras su
Dios y Señor. ¡Oh cuántos hay que oyen el silvo
del soberano Pastor del cielo, sienten su llamamien-    5
to, conocen la inspiración que le envía, y tras eso,
hácense sordos y cierran el oído, y cósenle con la
tierra, como dice allá el real profeta David: *Sicut
aspidis surdæ obdurantis aures suas, quæ non exaudiet
vocem incantantis.* Son los malos como áspides sor-    10
das que tapan las orejas, por no oir la voz del en-
cantador, que con sus versos las encanta. El áspide
dicen que pone la una oreja en la tierra y la pega con
ella, y con el extremo de la cola cierra la otra. Así
hacen los pecadores, que para que la fuerza de la    15
palabra de Dios no les desencante los corazones del
encantamiento en que el mundo los tiene y se los
encante o decante a Dios, se pegan con la tierra;
esto es, hurtan el cuerpo a los sermones, a las palabras santas, a los buenos consejos, y ábrenlos a las    20
cosas de la tierra; gente que hace rostro y pecho a
Dios y resiste a sus palabras, de quien rogaba David a Dios que lo guardase. *A resistentibus dexteræ
tuæ costodi me, ut pupillam oculi.* Señor, guardad-

---

8  *Salm.* 75.

12  *áspide,* por áspid.

18  *decante;* con la acepción anticuada de desvíe, incline sua-
vemente. Hoy el término *decantar* tiene una acepción totalmente
distinta.

me de una gente que resiste a vuestra derecha.

Y porque, según ya arriba dijimos, la conversión
de un pecador se llama obra de la derecha mano de
Dios, quiere decir David que le guarde Dios de una
5 gente pertinaz que, queriéndolos Dios convertir,
ellos no quieren y forcejan y muerden al Pastor por
desasírsele. Preciábase mucho el santo profeta Isaías
que no era de estos tales: *Dominus mane erigit mihi
aurem, ut audiam quasi magistrum: Dominus Deus*
10 *aperuit mihi aurem; ego autem non contradico, retror-*
*sum non abii*, dice el Profeta: «Por la mañana me levanta el Señor la oreja para que le oiga, como a
maestro». Y explica luego qué llama levantar la
oreja y dice: «El Señor Dios me abrió a mí la ore-
15 ja; pero yo no lo contradigo ni me vuelvo atrás».
Usó Isaías de una graciosa metáfora, que es de los
niños, que los envían sus madres a la escuela por la
mañana, y tómalos el maestro entre las rodillas para
darles lección, y cuando no la traen bien sabida tí-
20 rales de los viejos o de la oreja: «¡Mal rapaz!, ¿y no

---

1 *derecha*, es decir a nuestra mano derecha, que es signo de
poder y fortaleza.

7 Isai., 50.

20 *los viejos;* a este propósito trae Covarrubias esta referencia
curiosa acerca del dicho: «*Más viejo que el repelón:* Suelen castigar
los muchachos con repelarles de las sienes; por ser la parte más
sensible de toda la cabeça éstas encanecen primero que el demás
cabello; y desta calidad tomaron el nombre; por eso se llamó el *re-*
*pelón viejo*, y *tirar de los viejos* es lo mesmo». *Tes. de la Leng. Cast.*

20 *rapaz*, «el niño, por ventura por la inclinación que tiene a
querer tomar todo lo que vee y tiene delante». Covarr., obr. cit.

estudiaréis? Tomá, porque otro día sepáis la lición
y la estudiéis».

Unos justos hay bien inclinados que se enmien-
dan, estudian y aprovechan; otros travesuelos y re-
galones, que lloran con sus madres, y no quieren 5
volver a la escuela, y si los traen huyen de ella. Yo,
dice Isaías, me levanto por la mañana, madrugo
para ir a lición a la escuela de mi Dios, y el Señor
me tira de la oreja, porque sepa bien la lición de
su divina y sagrada doctrina, y me enmiende de 10
mis faltillas que tengo. Porque *Septies in die cadit
justus*. Siete veces, esto es, muchas veces peca aun
el más justo. Y qué quiera decir tirar de la oreja,
pruébase por otra traducción que dice: *Dominus
vellicat mihi aurem*. El Señor me da de orejones, 15

---

1 *Tomá, porque.* El autor reproduce las palabras con que supone que el maestro acompaña la acción de pegar: En estos detalles
se echa de ver la fina observación del autor y el provecho que sacó
para la composición de su libro del contacto directo con la vida y
con el pueblo.

1 *lición:* era corriente escribir *lición vírgines* etc.—«Algo de la
*lición* se verifica en mí». Quevedo. *Obras satíricas y festivas*, 237.
«Clás. Cast».

«A quién la escuadra santa
de *vírgines* y estrellas besa y queda».

L. de Vega, *Poesías líricas*, 146.

12 *Prov.*, 24.

15 *me da orejones.* Las tres expresiones que trae seguidas el
autor significan lo mismo, *tirar de las orejas. Orejón* es tirón de orejas, que es hoy también de uso habitual, particularmente entre las
gentes de pueblo.

me tira de la oreja, me varea las orejas, y yo no
soy como los otros muchachos travesuelos, que no
huyo de la escuela, antes bien sigo tras su silbo y
le obedezco. Esta presteza tuvo la Magdalena, y así,
5 en tocándole el corazón, en tirándole el Señor de la
oreja, luego que supo que comía en casa de Simón,
se partió para allá. Creo sin falta que le traía espia-
do, y por no perder sazón y como temerosa que se
le fuese, partió luego. Siguió el consejo del sabio,
10 que dice: *Ne tardes converti ad Dominum; et ne dif-
feras de die in diem. Subito enim veniet ira illius, et
in tempore vindictæ disperdet te.* Mira, dice el sabio,
que no tardes en volverte al Señor, y no lo alargues
de día en día, porque súbitamente vendrá sobre ti
15 su ira, y en el día de la venganza te destruirá. Llama
día de venganza, de iras y saña de Dios Nuestro
Señor, el día del juicio, que este nombre tiene
aquel espantoso día en las divinas letras, como
consta por Joel profeta, en el capítulo II; Isaías, ca-
20 pítulo XIII, y por otros muchos lugares. También
el día de la muerte de cada uno se llama día de ira
de Dios contra el pecador, porque entonces venga
sus injurias, y alude a lo del *Deuteronomio*, donde

---

1    *varea*, es lo mismo que me mide las orejas —como se dice en
lenguaje familiar—, o me sacude con una vara las orejas, tomado
metafóricamente, por la semejanza con *varear* los árboles.—«*Varear*
la azeytuna, o las nuezes, bellotas y castañas, es derrocarlas con
varas». Covarrubias.
10    *Eccl.*, 5.
23    *Deut.*, 32.

dice el Señor: *Si accuero ut fulgur gladium meum,
et arripuerint judicium manus meæ, reddam ultionem
hostibus meis, et his qui oderunt me retribuam.* A fe
de quien soy, dice Dios, que si yo acecalo mi
espada y le doy un filo, con que la haré que haga  5
más estrago que un rayo, y que si a mi mano me
alzo con la vara de alcalde, que yo les dé en caperuza
a mis enemigos, y les dé su merecido a los que me
aborrecen, que son los pecadores.

Y quiero que notéis de paso un estilo de hablar  10
de Dios en esto del vengarse, que es muy particular
y extraño; llama Dios a la venganza consuelo, y al
vengarse consolarse. En el capítulo primero de
Isaías, contando los males y ofensas que el pueblo
había cometido, dice: *Heu, consolabor super hostibus*  15

---

4  *acecalo,* por acicalo. Covarrubias recoge ambos términos
y los comenta del mismo modo: «*Azecalar,* vale tanto como limpiar
y dar lustre al azero, y así *azecalamos* las armas y particularmente las
espadas..., las damos resplandor y ponemos más filos... La muger
que va muy afeytada y con resplandor en el rostro dezimos haberse
*azecalado* y estar *azecalada». Tesoro.* Aquí está usado —como se ve—
en la primera acepción.

7  *a mi mano me alzo,* es decir, a mi vez, cuando me correspon-
da a mí. En los juegos, particularmente el de naipes, se usa conti-
nuamente *ser mano, llegar la mano, a mi mano.* También existe el
refrán castellano que dice: «Alzome *a mi mano,* ni pierdo ni gano».
Correas lo cita así: «Ni pierdo ni gano, levántome *a mi mano».*

7  *vara de alcalde,* expresión de abolengo popular para indicar
metafóricamente potestad de administrar justicia.

7  *dé en caperuza.—«Dar en caperuza* es aporrear y sobrepujar».
Correas, *Vocab.,* 553.

15  Isai., 1.

*meis, et vindicabor de inimicis meis.* ¡Ay, que yo me
consolaré sobre mis enemigos! Y, declarándose
qué llama consolarse, añade: «Yo me vengaré de
ellos». Y la razón de llamar consuelo a la venganza
5 es porque parece que el que se venga queda contento y descansado y tiene a manera de consuelo
aquel decir: «He vuelto por mi honra, he satisfecho
mi injuria». Por esto, pues, la Magdalena, en viendo
su mal estado, se parte para donde está el Señor.

## XVI

Pero decidme, Magdalena, ¿no será bueno que aguardéis a que el Señor salga del convite? Que no es buena sazón de derramar lágrimas entre los manjares, ni es bien aguarles el contento con vuestro llanto. ¡Ay de mí!, dice María, que cada momento de tardanza me es a mí mil años de infierno. Sé que las he con Dios, y no con algún hombre: no se me importunará con mi penitencia el que no se ha cansado con mi malicia. Tiene aquel mi Amado a quien yo voy otra más sabrosa comida que la que le da el fariseo, que es hacer la voluntad de su Padre. Él lo dice así: *Meus cibus est ut faciam voluntatem Patris mei.* Mi manjar es hacer la voluntad de mi Padre. La voluntad de su Padre, dice el mismo, que es no perder nada de lo que su Padre le envía; luego no me querrá perder. Pues si soy manjar suyo, ¿a qué tiempo puedo yo ir mejor que cuando está comiendo? Quiero llegar antes que se levante de la mesa;

---

7 *me es a mí mil;* con no poca frecuencia cae el P. M. de Chaide, tan acicalado siempre, en estos ingratos descuidos fonéticos.

14 Joan., 4.

17 Joan., 6.

que tarde llega el plato cuando son levantados
los manteles. ¿Pues no véis, Magdalena, que ésta es
casa del fariseo mofador que se pica de santo, y
murmurará de vuestra penitencia? ¡Ah, que me veo
5 a mí y no he vergüenza de nadie! Véme mi Dios y
los ángeles, ¿qué se me da a mí que me vean los
hombres? Y ya que me conocen por enemiga y pecadora, conózcanme por penitente y arrepentida.
Pues a lo menos, ya que váis, ¿no iríades como moza
10 rica y noble? Enrizad ese cabello, apretadlo con un
rico prendedero de oro, enlazadlo en perlas orien-

---

3  *se pica*, que se precia o blasona. De uso frecuentísimo.

10  *enrizad*, equivale a rizad, según el *Diccionario de la Academia*,
que señala el término *enrizar* con el estigma de anticuado. En el
siglo de oro era de uso frecuente y significaba algo más que el
simple *rizar*, pues denotaba un modo más artificioso de componer
el cabello, formando rizos, anillos, caracoles y bucles, que se com-
prendían en el término común de *enrizados*, que tampoco anota la
Academia.—«Componerle el cabello, hacerle trencillas, *enrizados* y
coronas y copetes.» P. Sigüenza, *Vida de S. Jerónimo*, Lib. IV, dis.
6. Ed. 1595.—«Les quita los *enrizados*», P. J. Torres, *Filosofía moral
de príncipes*, Lib 20 cap. 11. Ed. 1602.

11  *enlazaldo* trae la edición *princeps*, metátesis frecuentísima en
los casos de imperativo con enclíticas. «Si nombráis algún gigante
en vuestro libro, *hacelde* que sea el gigante Golías». *Quijote*, I, p. 37.
Ed. R. Marín, 1927.

> «¡Ah malvado!
> ¡Tú mientes como un traidor!
> *¡Matalde!*»
>
> G. de Castro, *Las mocedades del
> Cid*, 180. «Clás. Cast.»

«Señora, *dalde* luego el vestido, que pues él le pide con tanto
afecto». C. Solórzano, *La Garduña de Sevilla*, p. 38. Ed. Morcuende.

tales, ponéos unos zarcillos con dos finas esmeraldas, un collar de oro de galanos esmaltes; y más,
seis vueltas de cadenilla sobre los hombros, de quien
cuelgue un águila de soberano artificio, con un resplandeciente diamante en las uñas, que caiga sobre 5
el pecho; una saya de raso estampado con muchos
follajes de oro, un jubón de raso con cordoncillo
que relumbre de cien pasos; ponéos muchas puntas
y ojales de perlas y piedras, una cinta que no tenga
precio, y una poma de ámbar gris que se huela a 10
cuatro calles. Ponéos más anillos que dedos; hacéos
de dijes una tablilla de platero, que así se compo-
nen las damas de nuestro tiempo para salir a oír
misa, con más colores en el rostro que el arco del
cielo, a adorar al escupido, azotado, desnudo, coro- 15
nado de espinas y enclavado en una Cruz, Jesucristo,
único Hijo de Dios, y por cristianas se tienen. ¡Ay,
que esa gala, donaire y hermosura es engañadora!
*Fallax gratia et vana est pulchritudo, mulier timens*
*Deum, ipsa laudabitur.* Engañosa es la gracia y vana 20

---

«Si por ventura vierédes
Aquel que yo más quiero,
*Dezilde* que adolezco, peno, y muero.»

S. J. de la Cruz, *Cántico*, 10. Ed. cit.

6 *estampado.* «Se aplica a varios tejidos en que se forman y es-
tampan a fuego o en frío, con colores o sin ellos, diferentes labores
o dibujos». *Dicc. Acad.*

10 *poma,* «vale mançana, y tomase por una pieça labrada, redonda de oro, o plata, agujerada, dentro de la qual suelen traer olores y
cosas contra la peste». Covarr., *Tes. de la Leng. Cast.*

20 *Prov.,* 3

la hermosura y sola la mujer que teme a Dios será
la alabada.

¡Oh desdicha de nuestro siglo, perdición y estrago del nombre de cristianos! ¿Quién vió tan gran
5 desventura como la que pasa en nuestras repúblicas?
Entrad por esas iglesias y templos sagrados, veréis
los retablos llenos de las historias de los santos;
veréis a una parte pintado un San Lorenzo, atado,
tendido sobre unas parrillas, y que debajo salen
10 unas llamas que le ciñen el cuerpo; las ascuas parecen vivas, las llamas cárdenas, que parece que aun
de verlas pintadas ponen miedo; los verdugos con
unas horcas de hierro que las atizan, otros soplando
con unos fuelles para avivarlas; parécese aquella
15 generosa carne, quemada y tostada con el fuego, y
que se entreabren las entrañas, y anda la llama de-
vastando y buscando los senos de aquel pecho jamás rendido; está cayendo la grosura que apaga
parte del fuego en que se quema. Veréis en otro
20 tablero pintado un San Bartolomé desnudo, atado,
tendido sobre una mesa y que le están desollando
vivo. A otro lado un San Esteban, que le apedrean;

14  *parécese*, por muéstrase o aparece, como queda dicho.

18  *grosura*, «así llaman en Castilla lo interno y estremos de los
animales; conuiene a saber, cabeça, pies y manos y asadura; y esto
se come en la mayor parte de Castilla, o por antigua dispensación
de los sumos Pontífices, o por auerlo tolerado de tiempo inmemo-
rial acá». Covarrubias.—Bien se ve que aquí está tomado signifi-
cando «la substancia grasa y mantecosa, o jugo untuoso y espeso»,
como trae la Academia.

tópanse las piedras en el camino, el rostro sangriento, la cabeza abierta, que mueve compasión a quien
lo mira, y él arrodillado orando por los verdugos
que le matan. Veréis en otra parte un San Pedro
colgado de una Cruz; un Bautista descabezado, y al
fin muertes de santos, y por remate, en lo alto, un
Cristo en una Cruz, desnudo, hecho un piélago de
sangre, abierto el cuerpo a azotes, el rostro hinchado, los ojos quebrados, la boca denegrida, las entrañas alanceadas, hecho un retrato de muerte.

Pues decidme, cristianos: ¿para qué nos pintan
estas figuras en los retablos? Porqué no nos ponen
a Cristo lleno de gloria, sentado sobre las coronillas
de los ángeles, y a los santos vestidos de resplandor y llenos de alegría? ¿Para qué nos lo represen-
tan muriendo y padeciendo trabajos? Yo creo que
es porque entendamos que, por los tormentos que
sufrieron en la tierra, llegaron a la gloria que tienen
en el cielo, y así los sigamos en los trabajos, si queremos ser sus compañeros en el descanso.

Siendo pues esto así, ¿qué desatino es que os
arrodilléis vos a orar delante de un crucificado, de
otro desollado, delante del apedreado, despedazado
entre los dientes de los leones, y que, delante de
los que están tales, lleguéis vos más enjoyada y
pintada que si fuérades a algunas bodas? ¿Cómo no
os avergonzáis de poneros delante en tal traje? ¿Y

---

9 *quebrados,* en su acepción de debilitados, o apagados. Es
usual decir todavía *la color quebrada.*

con qué ojos miraréis a los que allí véis tan lasti-
mados? ¿Y con qué lengua les pediréis que sean
vuestros abogados con Dios, que tendrán asco de
volver los ojos a vos?

5 No cura la Magdalena de otro adorno ni de otras
galas para ir delante los ojos de Dios, sino de sólo
el del alma; con éste va abrasada y hecha un horno
de amor. ¡Oh, quien viera ir a esta santa mujer por
la calle, tan olvidaba de sí que aun un paño no lle-
10 vó para limpiar los pies del Rey de la gloria. No va
ya con la pompa pasada, no lleva el acompaña-
miento que solía, no se detiene por las calles para
ser vista; antes, los ojos derrocados en el suelo y
puesto el corazón en su bien y Señor, derramando
15 tantas lágrimas, que apenas vía la calle por do pasaba, e iba a prisa, con ansia, diciendo entre sí: «¡Oh
nuevo y celestial Esposo de mi alma, Médico divino
de mis enfermedades, detente un poco y espera a
esta desventurada pecadora, que se va a derrocar a
20 tus sagrados pies! ¡Oh hermosura antigua y nueva,
qué tarde te conocí y qué tarde te amé! ¡Oh pies pe-
rezosos para llegar a donde desea mi alma, ¿por qué
sois más pesados en llevarme a mi remedio que lo
fuistéis para mi perdición? Daos prisa, pies míos, y
25 llevadme a la fuente de mi gloria para que allí temple el ardor que me abrasa las entrañas. Mirad, pies
míos, que si tardáis se os irá vuestro remedio, y

---

13 *antes*, elidido, por *antes bien* o *sino más bien*.

sólo os quedará el fuego del infierno que os espera. ¡Oh resplandor de la gloria y cómo te desea mi alma!»

## SALM. 41.

Como la cierva en medio del estío,                    5
de los crudos lebreles perseguida,
que lleva atravesada
la flecha enherbolada,
desea de la fuente el licor frío,
por dar algún refresco a la herida,              10
y ardiendo con la fuerza del veneno,
no para en verde prado o en valle ameno;
   Así mi alma enferma te desea,
eterno Dios, y de tu amor sedienta,
ardiendo en fuego puro,                              15
por ti, su fuerte muro,
suspira, porque tu favor le sea
refresco, con el cual su sed no sienta:
¿Cuándo me veré yo ante Dios presente,
bebiendo de la eterna y clara fuente?            20
   ¿Cuándo me veré yo en esas moradas
que para ti fundó tu diestra mano,
de piedras del Oriente,

---

8 *enherbolado*, es lo mismo que inficionado. «Dícese más comúnmente de los hierros de las lanzas o saetas, que se untan con el zumo de yerbas ponzoñosas». *Dicc. Acad.* Fr. L. de León emplea *herboladas* con idéntico sentido:

Los pechos enemigos tus saetas
Traspasen *herboladas*,
Y besen tus pisadas las subjectas
Naciones derrocadas.

*Nombres*, II. 252.

a do el resplandeciente
diamante y esmeralda, y las labradas
colunas, que el alcázar soberano
sustentan de tu gloria y rico asiento,
5  exceden todo humano entendimiento?
Que, como de tu gloria estoy ausente,
y no hay bien que consuele el alma mía,
baña de noche el lecho
con lágrimas quel pecho
10 envía; y de suspiros juntamente
se amasa el pan que como noche y día,
porque mofando dice mi enemigo:
«¿A dónde está tu Dios, tu bien, tu abrigo?»
«¿Dó está el que te formó? ¿Dó aquel que adoras,
15 que no te favorece, ni te esfuerza?
Quizá que se ha dormido,
o que en eterno olvido
te tiene, oh alma, puesta». En estas horas
es de tanto momento en mí esta fuerza,
20 que el alma me desmaya, y en el pecho
ni vive, ni me es ya de algún provecho.
Pues tiempo me vendrá, cuando yo vaya
al admirable templo y casa tuya,
¡oh Dios! y mi alegría
25 será tal aquel día,
como la de las fiestas do se traya
la costosa comida, y en la ara suya
sacrificando a Dios rojos novillos
le dan gloria los ánimos sencillos.
30 Alma, decí, ¿por qué tan derrocada
os tiene este dolor, y a mí con ello
me turbáis de tal suerte,
que estoy casi a la muerte?
Esperad, alma, en Dios que, aunque cansada,

---

22  *cuando yo vaya.* En otras ediciones leo *que yo vaya*, incorrecto.
26  *traya,* por traiga, como ya queda indicado en otros pasajes,
en que lo usa el autor.

que el Señor, que a la luz del claro día,
envía a los mortales
alivio de sus males,
y su misericordia es alabada!
Cantarle ha día y noche el alma mía,                    5
y en mí hallará siempre su alabanza
mi Dios, vida, salud y mi esperanza.
    Diréle a Dios: «¿No sois mi amparo cierto?
Pues ¿porqué, Señor mío, me olvidastes?
¿no me véis andar triste,                              10
que mi enemigo embiste
su saña contra mí? Yo casi muerto,
molidos ya los huesos, me dejastes;
y mofando con burlas lastimeras,
dicen: «¿Dó está tu Dios, en quien esperas?»            15
    «Si es tu Dios, según dices, ¿cómo tarda
en librarte? ¿Porqué te deja tanto?
¿Ya no te ve afligido?
Quizá que se ha dormido,
Y si acaso lo mira, ¿a cuándo aguarda?»                 20
¡Oh alma mía! No os aflija el llanto;
¿por qué os entristecéis, y a mí con veros
me turbáis, pues no puedo yo valeros?
    Esperad, alma, en Dios, pues que yo espero,
que tengo de alaballe en más bonanza.                   25
Diréle: «¡Salud mía,
mi Dios y mi alegría,
mi rey y mi refugio verdadero,
solo descanso mío, y mi esperanza!
¡Vuelve esos claros ojos a mirarme,                     30
plégate, buen Señor, de remediarme!

## XVII

He querido poner aquí este salmo entero porque,
puesto que sólo el principio hace más a nuestro
propósito, no va lo demás tan fuera de él que no se
5 pueda aplicar a un alma aflijida y que, ausente de su
Dios, desea volverse a él; y también porque, como
ya he dicho en el prólogo, están los gustos tan es-
tragados con los muchos vicios, que para que puedan comer algo que les sea de provecho, es menes-
10 ter darles guisado con mil salsillas, y aun plega a
Dios que de esta suerte lo detengan y no lo vomi-
ten, como comida indigesta. Y no sé si me engaño,
pero pienso que con los versos se desempalagarán,
para tragar mejor la prosa.
15 Volviendo, pues, a nuestro propósito, salió la
Magdalena de su casa para ir a la de Simón. Llevaba

---

3 *puesto que*, aunque.

10 *plega;* de uso corriente en los clásicos.—«*Plegáos*, señora, de
membrarte de*s*te vuestro sujeto corazón, que tantas cuitas por
vuestro amor padece». *Quijote*, I, 112.—«Y aún es justo que le *ple-
gá* porque lo sabrá decir con mejor gracia». Fr. L. de León, *Nombres*, I, 179.—«Y *plega* a Dios que seamos como aquellos ignorantes
hebreos que les llovía Dios, manjar suavísimo» Fr. J. de los Angeles, *Conquista del Reino de Dios*, 73, ed. cit.

consigo un vaso de un licor preciosísimo para ungir
los pies del Redentor; debía de ser del que ella tenía
para bañarse el cabello y la cabeza. Parecíale a esta
santa penitente que a las narices de Dios le olían
muy mal los pecados y que, yendo ella con tantos,      5
la aborrecería y desecharía, como a cosa abominable. Véis aquí, cristianos, una maravillosa muestra
del amor de nuestro Dios para con los pecadores.
¿Qué mayor amor queréis, hombres?; que muchas
veces el hermano, la hermana, el padre y la madre,     10
que aman mucho a su hijo, por verlo tan malo y tan
fuera de su voluntad, lo aborrecen, a lo menos se
les pierde el amor que le tenían; y muchas veces
vos a vos mismo no os podéis sufrir, y os parecéis y
oléis mal, y de ver vuestras maldades habéis ver-      15
güenza de vos. Y dice el Padre eterno a su Hijo:
«Amad y mirad a los hombres. —¡Oh Padre, que
huelen peor que perros muertos!— Aunque eso sea,
ámamelos». Así es por cierto, que peor huele el
pecador a las narices de Dios, que a vos mil perros    20
llenos de gusanos. Pues ¿cómo nos puede sufrir? El
amor lo hace. Está uno veinte o treinta años en pecado mortal, y hay tanto amor en Dios, que no le
hace esta hediondez tapar las narices. Y porque
este es un gran consuelo para los que somos peca-      25
dores, probémoslo con algún ejemplo que nos ani-

---

19   *ámamelos. Amémoslos* traen, yo creo que incorrectamente,
otras ediciones. Vid. Riv. 343.

me a esperar en su misericordia, y que nos sea reclamo para irnos a nuestro buen Dios.

Todos los santos concuerdan en que Lázaro, en su enfermedad, fué figura del pecador que comienza
5 a caer y enfermar por el pecado, y que poco a poco, en ausencia de Dios, viene a morir en el alma por el consentimiento; y no pára ahí, sino que por su sepultura, cerrada con la piedra pesada, y por los cuatro días que tenía de sepultado, se entiende la
10 obstinación en el vicio. Y no es de maravillar cómo Lázaro, siendo santo, le hacen los doctores figura del pecador, porque las enfermedades del cuerpo tienen gran símbolo y proporción con las del alma, y la muerte corporal nos representa al vivo la espiritual.
15 Así como lo ordinario es enfermar un hombre antes que venga a morir, puesto que alguna vez acaezca que muere de solo un golpe y de súbito, pero comúnmente tiene primero sus accidentes, que son mensajeros de su enfermedad, porque no de un
20 golpe se cae la casa, sino poco a poco. Vase desmoronando la pared, cómese el cimiento, despéganse las vigas, caen algunos yesones, y va dando

---

13　*tienen gran símbolo*, por tienen gran semejanza y parecido.

16　*puesto que*, equivale a por más que o aunque. *Passim.*

17　*súbito; súpito* leo en la edición de Valencia. Vulgarmente se usaba tanto en forma abjetivada como adverbial.—«¿Qué es la causa de tan *súpita* mudanza?» F. de Silva, *Entremeses.*—«Cata, señora, que no seas tan *súpita*». *Celestina*, I, 26, ed. cit.

22　*yesones*, «el pedazo de tabique u otra fábrica que se derriba, de que se suele servir en lugar de ladrillo o piedra, para nueva fábrica.» *Dicc. Acad.*

señal y avisando, hasta que viene a caerse del todo. Así, cuando uno quiere estar malo, que camina para estar muy enfermo, veréisle con unos mensajeros de enfermedad, un cortamiento de piernas, dolor en los brazos, perdida la gana de comer, el color que- 5 brado. Tópase con el médico: «Señor, ¿qué será esto?, que los días pasados comía de tan buena gana, que todo me sabía bien, en todo hallaba gusto; un tasajo que me dieran me parecía faisán; la cebolla, la miga y un pedazo de pan seco me sabía como 10 azúcar; andaba gordo, colorado, contento; ahora, señor, no hay comer; en ponerme el plato delante, se me alborota el estómago, la perdiz me parece estopa en la boca. Y más, señor, que solía yo correr y caminar a pie y cazar tres días sin cansarme; su- 15

4   *cortamiento de piernas.* El *Diccionario de la Academia* sólo atribuye al vocablo *cortamiento* el significado de *corte* o *acción de cortar.* Pero la acepción que tiene en este pasaje del P. Malón es muy distinta, y bastaría su autoridad y la del clásico Diego de Vega, para puntualizar y recoger la significación especial que aquí tiene, sinónima de *quebrarse* o *partirse* las piernas, como dice el que está enfermo para expresar su debilidad y desánimo. También tiene el significado de *turbación,* como en este pasaje: «Las señales causarán este *cortamiento* y desánimo en los hombres». Diego de Vega, *Discursos predicables,* Dom. 1 de Adv. Ed. 1612. En el lenguaje ordinario es corriente también decir *cortarse* por *turbarse.*

6   *el color quebrado.* Será de las raras veces que se ve usada esta expresión en masculino, en el siglo de oro.

10   *me sabía,* en singular con un sujeto múltiple.

12   *no hay comer;* frase elíptica «En lo militante *no hay más* prometernos salud.» C. Solórzano, *La Niña de los embustes,* c. IV.

12   *en ponerme,* equivale a decir *en poniéndome, con sólo ponerme;* muy frecuente esta forma de infinitivo sustantivado.

bía una cuesta como si paseara por mi sala; jugaba
a la pelota seis horas sin pesadumbre. Ahora no
tengo fuerzas para nada; a dos pasos he menester
sentarme; con tantico ejercicio no valgo un mara-
5 vedí; parece que me han dejarretado; cada pie me
pesa un quintal; si me siento, no me querría levantar, los brazos se me caen, que no puedo hacer nada
con ellos. Dígame, señor dotor, ¿qué puede ser
esto?»—«A la fe, hermano, que queréis estar muy
10 enfermo».

A este mismo tono van los males del alma; entran
poco a poco, comienza a admitir unas ocasioncillas,
que aunque de suyo no son pocado, pero son res-
quicios por donde barrena el pecado; un ratillo de
15 conversación, un mirar, un descuidillo en la palabrilla algo suelta. ¡Oh! dice el otro, que un rato de parla
con tal persona de quien gusto no es pecado; y aunque siento un no sé qué cuando la hablo, yo tendré
fuerte, yo estaré sobre aviso, no me descuidaré. ¡Oh
20 hermano! cierra las puertas del alma, no te fíes en
eso, mira que muchos se han hallado burlados.

---

2    *sin pesadumbre*, sin molestia ni cansancio.

9    *a la fe;* adverbio anticuado; se usa todavía entre gente del
pueblo; equivale a verdaderamente, en verdad.—«*A la fe*, esto no
nace de falta de habilidad». *Quijot.*, Prólogo.

«Soñaba yo que tenía
alegre mi corazón;
mas *a la fe,* madre mía,
que lo sueños sueños son».

Letra anónima muy popular en los siglos xv y xvi.

*Intravit mors per fenestras nostras*, dice el profeta
Jeremías. La muerte entró por nuestras ventanas.
Hablaba el santo Profeta, o el Señor de los profetas
por Jeremías, y cuenta en todo el capítulo muchos
males y pecados que cometía su pueblo. Comienza    5
a amenazarlos y espantarlos, diciendo que ha de
hacer un castigo famoso y sonado en todo el mundo.
Llama, dice Jeremías, a las lamentadoras y lloraderas. Esto dice, conforme a la costumbre antigua de
aquel pueblo, que había mujeres que vivían de ello    10
y tenían por oficio llorar y alquilarse para lamentar
los casos tristes y las muertes de los otros, y había
cantores que con instrumentos roncos hacían un
triste son; y éstos y ellas iban cantando endechas
detrás del ataúd donde iba el muerto; y para que    15
éstos cantasen cosas con que moviesen a los oyen-
tes a lágrimas, componían canciones y sonetos tristes. Así lo dice en el segundo de los *Reyes*, en el
capítulo primero que, habiendo muerto Saúl y Jona-
tás en los montes de Gélboe, súpolo David y lloró-    20
los e hizo romances de la guerra de Gélboe, como

---

2  Jerem., 9.

9  *lloraderas;* la Academia lo señala como anticuado y sinónimo
de *llorona.* Más exacto sería decir que de *lloradoras.* «*Lloraderas,*
mugeres que se alquilaban para llorar en los entierros de los difuntos. Y esta costumbre es muy antigua». Cov., *Tesoro.*

11  *alquilarse,* en forma reflexiva significa ajustarse o ponerse a
servicio de otro por estipendio.

14  *y éstos y ellas;* la correlación exigía decir *y éstos y aquéllas.*

18  *Lib. II Reg.,* 1.

acá de la de Granada, y mandó que enseñasen aquellas endechas a los hijos de Israel, y llámalas *llanto*. Y en el segundo del *Paralipomenon*, capítulo 35, contando la desastrosa muerte del glorioso rey Josías, dice que lloró todo el reino, principalmente Jeremías, cuyos romances y canciones cantaban las lamentadoras y cantores perpetuamente, y que había quedado en Israel como ley inviolable el cantarlas.

Esta misma costumbre duraba en tiempo de nuestro Redentor, el cual, yendo a resucitar a la hija del príncipe, dice San Mateo que halló los menestriles y lloraduelos, que daban gritos y mandólos echar de allí. «A éstas, dice Jeremías, que llamen para lamentar el mal que les ha de venir a los de su pueblo. Enviad, dice, a las lamentadoras, vengan presto, dénse prisa y lamenten sobre nosotros.»

Ayudémosles también y desháganse en lágrimas

---

12 *Math.*, 9.

12 *menestriles*, por ministriles.—«Ministril es un instrumento músico de boca, como chirimía, bajón y otros semejantes que se suelen tocar en algunas procesiones y fiestas públicas». *Dicc. Acad.* —Por extensión se aplicó este nombre a los mismos que tocaban estos instrumentos de boca.— «Y oye también los *menestriles* y dulçura de la música». Fr. L. de León, *Nombres*, I, 69.

13 *lloraduelos*, se llama al que de continuo llora y pregona sus infortunios.—«Así llaman a los que son tristes». Correas, *Vocab.*, 605. El sentido que este vocablo tiene aquí es distinto, ya que indudablemente se refiere a las que acompañaban mercenariamente con su llanto y demostraciones de dolor la muerte de una persona, es decir, a las *lloraderas*, a que ha aludido antes, o plañideras.

nuestros ojos, salgan fuentes de aguas de ellos, porque yo he oído una voz lamentable de allá de Sión
y decía: «¡Ay cómo nos han desolado y hundido
por el suelo! ¡cómo quedan yermas nuestras casas!
¡Oid, pues, mujeres, la palabra de Dios, y enseñad
a llorar a vuestras hijas y llamad a lamentar a vuestras vecinas, porque ha escalado y entrado la muerte
por vuestras ventanas y hase apoderado de vuestras casas».

Hasta aquí son palabras del santo Jeremías; aunque la letra de esto es que usa de la metáfora que
vemos en la guerra, porque hablaba de ella; y es
que los soldados, cuando dan el asalto a una fuerza,
arremeten a los muros y arriman las lanzas, y otros
arrojan escalas y trepan por ellas, hasta entrar por
las ventanas y ponerse sobre las almenas, y, entrando, degüellan cuantos hallan dentro. Cierto está que
los soldados entraron por las ventanas; pero porque
mataron a los de la fortaleza, se dice que fué la
muerte la que escaló y entró; que aun acá solemos
usar de ese término, que llamamos a lo que nos hace
mal, del nombre del efecto que hace, y así decimos:

---

13  *fuerza*, en vez de fortaleza.

«... que no importan *fuerzas*,
guardas, criados, murallas,
fortalecidas almenas,
para amor».

Tirso de M., *El burlador de Sevilla*, jor. I, 207.

«Salir a la campaña y quedar en las *fuerzas*». *Quij.*, III, 200,

«No comáis eso, que es la muerte; tomá esta purga, que es la vida».

Pero llevándolo al sentido espiritual, que es el que principalmente pretende el Espíritu Santo, manda que busquemos quien nos ayude a llorar un caso tan desastrado como es que haya entrado la muerte, esto es, el pecado, que con mucha propiedad se dice muerte, pues nos mata de muerte eterna, y que haya pasado a cuchillo cuanto halló dentro de nuestro corazón; porque dejarreta el pecado todos los buenos deseos del alma y mata los hijos de nuestras buenas obras, como lo hacía Faraón, que mandaba matar todos los hijos varones del pueblo de Dios, esto es, las obras varoniles y perfectas, y hacía guardar las hijas que son las afeminadas y viciosas.

Pues esto hace el pecado cuando entra en la casa del alma, que ahoga nuestros buenos propósitos porque no crezcan y salgan a luz; córtalos en agraz, en yerba, para que ni maduren ni granen, ni lleguen a sazón. En figura de esto cuenta la divina Escritura que, cuando los hijos de Israel por sus pecados estaban sujetos a los de Madián, que eran

---

10 *dejarreta*, usábase indistintamente lo mismo que *desjarreta*: aquí traido en sentido figurado. «Dejaron a Bartolomé a pie porque le *dejarretaron* el bagaje». Cervantes, *Persiles y Segismunda*, l. III, cap. XI.

14 *Exod.*, I.

20 *en agraz.* Agraz es la uva agria y verde. *En agraz*, modo adv., antes de tiempo, prematuramente; así decimos, *fuese en agraz.*

como alárabes, que los miserables Israelitas sembraban sus panes; y cuando ya estaban en yerba, subían los de Madián y los de Amalech y las otras naciones bárbaras, y con sus camellos y ganado se lo pacían todo y lo destruían y atalaban en yerba. Esta es la riza que hace el pecado, que se nos pace en yerba cuanto bueno nace en nosotros. Y si preguntáis a Jeremías por dónde nos viene tanto daño, por dónde entra nuestra muerte, dirá que por las ventanas. Las ventanas del alma son los sentidos, porque así como para dar luz a la pieza de vuestra casa, y para que vos os veáis, es menester abrirle ventanas, así, habiendo Dios criado el alma en la casa de barro del cuerpo, por quien dijo San Pablo que traemos un tesoro en vasos de barro, que lo ponderó galanamente, para mostrarnos el cuidado que hemos de tener de nuestras almas, pues andan tan peligrosas como tesoro en barro que con un papirote se quiebra; y es lo mismo que

---

1 *alárabes*, por árabes. «Cuando los *alárabes* señoreaban las Españas». *Crónica de Don Francesillo de Zúñiga*, 29. Rivad.

2 *sus panes;* tómase como sinónimo de sus *trigos;* aún se usa en muchos pueblos de ambas Castillas *trigos*, por *sembrados*. «Yo soy examinado y traigo la carta, y por el sol que calienta los *panes* que haga tajadas a quien dijere mal de tanto buen hijo como profesa la destreza». Quevedo, *Buscón*. Ed. cit.

5 *atalaban*, anticuado, por talaban o arrasaban; del verbo italiano *tagliare*, cortar.

7 *nos pace en yerba*, como si dijera *en flor*, cuando está brotando

15 *Ad. Cor,,* II, 4.

19 *papirote*, «el golpe que los niños se dauan en los papos en cierto juego que después le mudaron a la frente». Covarrubias. Se toma también como sinónimo de *sopapo*.

quiso decir David en un salmo: *Anima mea in manibus meis semper, et legem tuam non sum oblitus.* Traigo, Señor, siempre el alma en las manos, esto es, en gran peligro; y para no perderla, el mejor medio es no olvidarme de tu ley y de tus mandamientos; por esto, como quien no se fía de sus manos, se la encomendaba en las de Dios. En vuestras manos, Señor, encomiendo esta mi alma; guardadla vos, Señor, pues la comprastes; que parece que le acuerda la razón que tiene de guardarla como cosa suya, y que no es razón que deje perder lo que tan caro le costó. Y queríala David ver en las manos de Dios, porque le tenía por gran guardador de almas, como se lo dijo el santo Job: *Et non est qui de manu tua possit eruere.* No hay quien baste a quitaros de las manos lo que una vez asís con éllas. Y a esto aludió Cristo nuestro Redentor cuando, hablando de sus ovejas, dijo: *Non rapiet eas quisquam de manu mea.* Nadie me las arrebatará de la mano.

Así que crió Dios el alma metida en el cuerpo de lodo, y no sabiendo nada, porque es falsa la opinión de Platón que dijo que Dios había criado las almas todas de una vez y que las tiene allá en

---

1 *Salm.* 118.

7 *encomendaba en*; es muy frecuente esta construcción en los clásicos. «Todas se encomiendan en las oraciones de Vuestra Merced». Santa Teresa. *Cartas*, t. IV, pág. 128.

10 *acuerda*, por recuerda.

14 Job. 10.

18 Joan. 10.

las estrellas, de suerte que ya allí saben cuanto han
de saber; y cuando es engendrado un cuerpo acá
bajo envía Dios un alma y la condena a cárcel, hasta que, purgada con esta prisión del cuerpo, está
apta y se hace digna de entrar en el cielo; y que
como la empana Dios en barro, se le olvida lo que
allá sabía por estar absorta y como embelesada;
pero después con las cosas que ve y oye y le entran por los sentidos, viene a caer en la cuenta y
acordarse que aquello es lo que ya se sabía antes
de venir al cuerpo. Y por esto decía Platón que
*Nostrum scire est quoddam reminisci.* Nuestro saber y lo que acá nos parece que aprendemos, no
es más que un acordarnos de lo que ya sabíamos y
se nos había olvidado. Esta opinión deshace Aristóteles, y mucho mejor nuestra fe que nos enseña
que, estando el corpezuelo formado y organizado,
de suerte que sea capaz para recibir ánima racional,
allí dentro del mismo la cría Dios, y en ese punto
comienza a informarle y vivificarle, y se llama hijo
de Adán.

Por eso dijo bien Aristóteles que, cuando el alma
comienza a animar un cuerpo, es como una tabla
rasa sin pintura alguna; y nosotros después la vamos pintando con las especies de cosas que vemos
y nos entran por los sentidos. Y por esta razón,
como quien está en casa tan oscura y a ciegas, fué
menester que le abriese Dios ventanas por donde
le entrase la luz al alma y ella viese. Estos son los

sentidos que son como cinco puertas o cinco ventanas, y son las aduanas por donde y en donde se registra todo cuanto entra al alma. Dióle Dios éstas, y no más ni menos, porque en estas cinco diferencias
5 se encierra todo lo que el mundo tiene que nos sea provechoso para seguirlo, o dañoso para desecharlo. Porque si es cosa que tiene color, entra por los ojos; si sonido, entra por el oído; si sabor, por el gusto; si olor, por las narices. Y porque todo el
10 cuerpo nuestro puede tener peligro y en todo él nos puede venir daño, repartió el tacto por todas las partes del cuerpo, para que si en la planta tuviere la picadura, allí le duela y acuda la mano y el ojo y la lengua a ponerle remedio.
15     De lo dicho se entenderá qué es la razón que, por mucho que un alma quiera adelgazar el pensamiento e imaginar a Dios y su gloria, y lo que tiene allá de sus puertas adentro, no puede pensar sino un Dios con cuerpo, con rostro, con piés y cabeza;
20 y que hay oro, piedras preciosas, plata, ciudades, ríos, fuentes, jardines y cosas de este talle, que ni las hay allá ni aun valieran mucho para allá. La razón es porque, como no sabe el alma más de lo que pasa por los sentidos, que es lo que dijo Aristóte-
25 les, que el que algo quiere entender ha menester especular y volverse a ver las especies o semejanzas de las cosas que tiene en la memoria; y otra vez

---

15   *que es*, por cual es.
23   *más de*, igual a *más que*, con sentido exclusivo. *Passim.*

dijo que ninguna cosa puede llegar al entendimiento, que primero no haya estado y hecho pausa en
el sentido; pues como los sentidos son corporales,
todo cuanto por ellos entrare ha de serlo, so pena
que, como mercadería vedada, no la dejarán pasar;
y como quiere pensar en el cielo, finge solamente
las cosas que tiene noticia, que son las que ha visto
acá en la tierra; pero nada de esto hay allá, ca, a
haberlo, no dijera Isaías, ni lo alegara el Apóstol,
que no vieron otros ojos sino los de Dios, lo que
tiene guardado para sus siervos. Y cierto es que, a
ser oro, visto le habemos, y a ser perlas y lo demás
que tiene el mundo.

Hora pues, «las ventanas por donde entra nuestra muerte, dice Jeremías, que son los sentidos».
Ventanas son los ojos, por donde el pecado os es-
cala el corazón, mirando la mujer ajena para desear-
la. Y ellos fueron por donde entró la muerte a David, cuando vió bañar a Bersabé, y pecó; y así, como
hombre bien escarmentado rogaba después a Dios:
*Averte oculos meos, ne videant vanitatem.* Señor, tá-
pame estos ojos, véndamelos, ciérramelos a piedra
y lodo, no vean la vanidad; esto es, no se me vayan
tras las cosas vanas de esta vida y llevan tras sí mi

9   Isai., 62.

9   *I ad Corin.*, 9.

14   *Hora;* como ahora.

20   *Sal.*, 118.

23   *a piedra y lodo*, tiene este modismo el mismo significado que
el en uso corriente de *cal* y *canto*.

deseo y me despeñen en pecados, como ya lo hicieron otra vez. Y su hijo Salomón daba por consejo: «Aparta los ojos de la mujer compuesta y afeitada, porque muchos cayeron y perecieron por su
5 hermosura». Consejo dado y tomado, pues por no apartarlo él, nos puso en opinión su salvación. Mejor lo hizo Job, que decía: *Pepigi fœdus cum oculis meis ut ne cogitarem quidem de virgine.* Héme concertado con mis ojos, para que ni aun por pensa-
10 miento no les pasase de pensar en alguna mujer. Ventana es el oído por donde entra la muerte, envuelta en la murmuración del prójimo, y en el cuento deshonesto y torpe; y también lo es la lengua y los demás sentidos, y estos son menester
15 guardar. Y como comenzamos a decir arriba, cuando hablamos de la proporción que hay de las enfermedades del cuerpo a las del alma, no basta guadarlos de las cosas que de suyo está claro que son pecados, mas aun de lo que nos puede traer a som-
20 bra de pecado. El alcaide prudente y cauto no sólo guarda la fortaleza de los que son enemigos descubiertos, mas aun de los que se sospecha que pueden traer el billete o la carta para los de dentro. Así que de una conversacioncilla, de un poco de

3  *Eccl.*, 9.
6  *poner en opinión* es lo mismo que poner en duda, en litigio.
7  *Job*, 31.
10  *no les pasase;* el *no* es expletivo como ya queda indicado en otros casos similares.
16  *proporción*, equivale aquí a *comparación* o *equivalencia,*

familiaridad, que a vos os parece que importa poco,
suele nacer un daño, que mata un alma. El ave
presa en la liga, cuanto más se revuelve más se
prende, hasta que llega el cazador y la mata.

Ni piense nadie que, aunque los pecados veniales 5
son fáciles de perdonar, que por eso no son malos;
que no le hay tan pequeño que no dé pena a una
alma de buena conciencia. Pequeña es una mosca,
y, si sois limpio, os pone asco toda una comida; y
muy más pequeña es una pulga, y os da una mala 10
noche.

Esto era lo que comenzamos a decir atrás antes de esta larga digresión; y así, volviendo a ello,
digo que lo primero que tiene el enfermo es que
pierde el gusto, un hastío que no hay comer, ni 15
verlo, una desgana que no la entiende. Así cuando
un alma quiere estar muy mala: «¿Padre, qué será
esto que no hallo sabor en lo que cómo? Otro tiempo me eran tan dulces las cosas de Dios, hallaba
tanto gusto en ellas que, cuando oía hablar una pa- 20
labra de Dios, luego tenía los ojos llenos de lágri-

---

6 *que por eso;* he ahí otro *que* superfluo, de los repudiados por
J. de Valdés, pero que con tanta frecuencia se encuentra en nuestros clásicos, como para reforzar más la expresión.

10 *muy más.* Es frecuente el superlativo del comparativo en
esta forma. «Luego *muy más* grave fué la muerte de los quatro
mil hombres que dezís que no el saco de las reliquias». A. Val-
dès, *Diálogo de las cosas,* etc., 188. «Y muy más lejos del castigo
cristiano». B.º Avila, *Epist.* 131. «Conosce que eres *muy más* malo
de lo que tú puedes imaginar». Granada, *De la Oración y Medita-
ción* I, XI.

mas, el corazón tan tierno, confesaba a tercero día, comulgaba cada fiesta, con tantos suspiros, tantas lágrimas, tanta terneza, tanto amor; ahora, padre, no tengo sabor en cosa; tanta sequedad que me
5 espanta; el confesar, de año a año; oír misa, por fuerza, y esa la más breve; hablarme de Dios, es algarabía para mí, el sermón me cansa; ¿qué será esto?» —«A la fe, hermano, que váis estando malo, que queréis dar en una grave dolencia». *Omnen escam*
10 *abominata est anima eorum, et appropinquaverunt usque ad portas mortis*, dice el real profeta David. Porque vinieron a tener hastío de todos los manjares y perdieron la gana del comer, por eso llegaron al hilo de la muerte. Otra señal es, cuando se apo-
15 can las fuerzas. Si sentís descaecimiento, si se os caen los brazos para obrar, si sentís mucho la afrenta, la palabrilla que el otro os dijo, si sentís el corazón no tan casto, si se os bambalean las piernas para caer, mensajeros son esos de muerte. Tras
20 esto viene el descuido, y muere Lázaro, muere el pecador, que es cuando comete el pecado, entiérranle por la vieja costumbre.

He aquí porqué Lázaro, con ser santo y amigo del Señor, y hermano de sus grandes amigas María
25 y Marta, tiene figura del pecador obstinado. Ahora, pues, lo que al principio quisimos probar con el

---

4 *en cosa*. Suele usarse en sentido indefinido, elípticamente, por *en cosa alguna*.

9 Salm. 106.

ejemplo de Lázaro fué el grande amor que Dios tiene a los pecadores, y que a todos cansan, sino es a Dios. Muere Lázaro en ausencia del Señor, y no podía ser menos, sino que entrase la muerte en la casa donde faltaba la vida. Díceles el Señor a sus 5 discípulos: «Vámonos otra vez a Judea». Salen ellos y dícenle: «Catad, Señor, que nos espantamos de Vos; ¿ayer os quisieron apedrear y hoy os volvéis allá?» Con todo eso, se va. Llega al sepulcro, van con él las hermanas. Dice Cristo: «Quitad esa pie- 10 dra». Sale Marta: ¡«Ay Señor, que huele mal, no se quite!» ¡Oh gran Dios, y que contradición halláis para resucitar un pecador! Todos parece que nos acusan, sino Vos que nos excusáis. ¿Qué dice Cristo? Vamos a Judea. ¿Qué dicen los Apóstoles? Catad, 15 Señor, que os apedrearán ¿Qué responde Cristo?

---

4  *no poder ser menos*, por no podía suceder, sino etc.

6  Joan., 11.

7  *Catad*, por mirad o reparad. «*Catar* —dice Cejador— es mirar, pero como buscando o acechando a *lo gato,* como que tiene la misma etimología».—*Cataron* día claro para ir a caçar». Arc. de Hita. *L. del buen Amor*, 1, 60, ed. cit. «*Cata* que se rompe el cielo | derrúmbase la tierra | el nublo todo se cierra». Coplas de *Mingo Revulgo*, 28. Ibid.

> «Pus *catad*
> dezid la verdad».

> *Auto de los Reyes Magos*, Texto Pidal.

«... et non paran mientes como acabaron o cuantos fincaron de los que non *cataron* sinón por ésta que ellos llaman grant valía o como son poblados los sus solares». *Conde de Lucanor*, 43, ed. S. Cantón. MCMXX.

Andá, que doce horas hay en el día, no todos los
tiempos son unos, mil propósitos puede tener el
hombre, y los que ayer me quisieron apedrear hoy
me pueden honrar. ¿Qué dice Cristo? Quitad esa
5 piedra. ¿Qué dice Marta? Tate, Señor, que hiede.
¿Qué responde Cristo? Andad, Marta, que en eso
quiero yo que veáis el amor que yo tengo a los
hombres, que con oleros a vos mal, que sois su
hermana, no me huelen a mí mal, porque me huelen
10 al bálsamo de mi sangre que por ellos tengo de
derramar.

¡Oh santo Dios! y ¿quién creyera tal si tu misericordia no nos dejara tan vivos y ciertos ejemplos
para nuestro consuelo? ¡Que yo a mí mismo me
15 desame, y tú no sólo me sufras y me ames, mas
aun me ruegues y me requieras y me busques,
como si yo valiese algo y te hiciese mucho al caso
para tu contento! Verdaderamente, Dios de mi
alma, que cuando esto pienso, que me toma gran
20 sospecha de que valgo mucho, pues tú me amas
mucho. Y así es ello, pues tengo conmigo tu imagen
y tu sangre y tus méritos y, al fin, toda tu riqueza,
que tú me la diste, y por mí naciste, y para mí moriste; y tanto valgo, por ser tuyo, que aun dando
25 por mí la vida, y comprándome con la sangre del
corazón, decías que te salía de balde y dado. «Padre santo, decías, ¡oh buen Jesús!, la noche de la

---

26  Joan., 17.

Cena, guarda los que me diste, tuyos eran, y tú me los diste». Pues dime, tiernísimo y regalado enamorado de los hombres, ¿no dice tu apóstol San Pedro: «Mirad, hermanos, que no os han comprado con oro o con plata, ni costáis diamantes o esmeraldas, sino sangre de aquel Cordero sin defeto, Jesucristo, Hijo de Dios?» Y el gran dotor de las gentes, San Pablo, ¿no dice: «Mirad que os han comprado con gran precio, por eso traed a Dios, que es el comprador, siempre en vuestro pecho?» Pues siendo esto así, ¿cómo le dices a tu Padre que te salen los hombres tan baratos, que los llamas dados? A la fe, dulce Jesús, es el amor que me tienes, que soy tu Raquel y tú el gran enamorado Jacob. Catorce años sirvió por su amada: *Et videbantur ei pauci dies præ amoris magnitudine*. Parecíanle pocos días, dice la Escritura, no dice pocos años, sino días, con ser catorce, y aun pocos días. No sólo los años le hacía el extremo de amor parecer días, mas aun esos, pocos. Mas ¿qué tiene que ver, Señor, Jacob contigo? Él hombre, tú Dios; él siervo, tú Señor; él sirvió catorce años, tú treinta y tres; él salió rico de casa de su suegro, tú crucificado de casa de la Sinagoga; él sudó agua, sirviendo, tú sangre, muriendo; y con todo eso te parecía poco: *Præ amoris magnitudine*. Por el demasiado amor que me tienes.

---

3  *I Pet.*, I.
8  *I Ad Cor.*, 6.
17  *Gen.*, 29.

Pero volvamos a la Magdalena, que lleva un guisado, un manjar sabrosísimo al convidado Cristo, que le sabrá mejor que toda la comida del fariseo. Llévale entre dos platos un corazón abrasado en
5 amor, y entra con el servicio a la mesa.

## XVIII

*Et stans retro secus pedes eius.* Llegó, y puesta en
pie a las espaldas del Redentor, comenzó a regarle
los pies con lágrimas de sus ojos. Es de saber que
no pudiera hacer eso la Magdalena, si los convida- 5
dos y los que comían a la mesa estuvieran sentados
en sillas, como lo hacen ahora, porque así tienen
los pies adelante, y debajo de la mesa; y, estando
la Magdalena a las espaldas del Señor, no era posible que las lágrimas que derramaba cayesen sobre 10
sus pies. Pero comían recostados en aquel tiempo,
como ahora los moros; ponían la mesa baja, y sobre
unos tapetes echaban almohadas, y recodados sobre el brazo izquierdo comían con la mano derecha,
de suerte que tenían los pies tendidos; y con eso 15
pudo muy bien ser lo que dice nuestro Evangelio.
Entra pues y no se atreve a ponerse delante del
rostro y ojos del Señor, sino a las espaldas.

¡Qué cosa es conocer bien un hombre la fealdad de
sus pecados! ¡Qué avergonzado y afrentado queda! 20
El publicano del Evangelio no osaba levantar los

---

21  Luc., 18.

ojos al cielo; antes, hiriéndose los pechos, decía en
silencio, allá apartado tras la pila del agua bendita:
«Dios, perdona a mi gran pecador!» Mala señal,
cuando el pecador no se afrenta de su pecado. Pa-
5 recíale a David que la vergüenza haría a los que se
volviesen y buscasen a Dios: *Imple facies eorum ignominia, et quaerent nomen tuum Domine.* Señor, dadles vergüenza, afrentadlos en su cara, y veréis cómo
os buscarán. No sé cómo lo diga, ni qué me diga
10 de la perdición de nuestros tiempos, que ha llegado
ya nuestro daño a hacer honra de los pecados, que
es la verdadera afrenta, y hacen afrenta de lo que
es honra.

El uno funda su honor en ser amancebado toda
15 la vida; y porque engañó a la hija del hombre de

---

1 *antes*, elipsis, por *antes bien.*

2 *tras la pila del agua bendita.* Nótese el anacronismo que comete el autor, por valerse de formas accesibles al pueblo, como
suelen hacer los predicadores no pocas veces en todo tiempo.

3 *perdona a mí*; con frecuencia se topa con esta construcción,
sin repetición del pronombre, como lo hacemos hoy, lo mismo en
Malón de Chaide que en Cervantes y Fr. Luis de León.—«Anuncia-
ré a ti, oye a mí». Fr. L. de León, *Exposic. de Job*, XV. «Y de la
misma manera lo dize a nosotros». B.º Avila, Avila. *Epíst.* XIX.

6 *Salm.* 81.

8 *daldes, afrentaldes* trae la edición *princeps.*

14 Nótese qué gallardamente fluye la pluma del P. Malón de
Chaide cuando toca estos temas en que denuncia las lacras y miserias de la vida de su tiempo, que si no fueran tan reales, tan verí-
dicos, nos parecerían hoy una exageración, atendiendo a aquello de
que cualquiera tiempo pasado fué mejor. Claro es que de los vicios
y corrupción de un sector social no puede deducirse el estado de
toda una colectividad.

bien, lo blasona como si hiciera un hecho romano.
El otro dice que su honra está en vengar la injuria
que le hicieron; y en hecho de verdad no lo es, sino
que el demonio lo hace entender que es agravio
para que jamás salgan del pecado. Decidles a estos  5
que miren el Evangelio que profesaron; que miren
que dice Dios que si no perdonan que no los per-
donará; decidles que les va no menos que el alma
en ello; que miren que la verdadera honra es el
servir a Dios, y en ser buenos cristianos; decidles  10
que Dios se lo ruega desde una cruz, donde está él
mismo rogando por los que le quitan la vida; tomad
aquella sangre que derrama, y así, caliente como
sale, dadles con ella en el rostro y decidles: «Esta
sangre sea testigo de tu condenación el día de tu  15
muerte, pues ni por ella quisiste perdonar a tu her-
mado»; que aunque hagáis todo esto, no hayáis
miedo que persuadáis a uno de estos honrados
cristianos, y que por tales se tienen, a que perdone
una injuria; y si en esto les tratáis, os dirán que les  20
tratéis primero de que son caballeros; después les
acorderéis que son cristianos.

¡Oh monstruos infernales! ¿quién os ha hecho

---

1   *hecho romano*, quiere decir una hazaña de romanos.

3   *en hecho de verdad*, equivale a la expresión adverbial corriente *en verdad* o *a la verdad*.

19   *honrados cristianos*. Desde luego se nota el sentido irónico
en que está tomado el adjetivo.

21   *de que son caballeros*, es decir, como a caballeros.

22   *acorderéis*, era muy frecuente, en lugar de recordar.

tanto mal que hayáis llegado a hacer leyes contra
las de Dios? ¿Quién os ha dado osadía para romper
las divinas por guardar las humanas? Decid, burla-
dores del Cristianismo, tizones del infierno, vasos
5 de ira y saña de Dios, ¿cómo es posible que hagáis
evangelio, y enseñéis doctrina y tengáis libro contrario al de Jesucristo? Leed en el de Dios y veréis
que, si no perdonáis, no hay cielo para vosotros:
leed en el vuestro, que decís que, si no vengáis, no
10 hay honra para vosotros. ¿Y qué hagáis arancel de
esto, y que públicamente lo tratéis, y haya consulta, si conforme a vuestro evangelio queda bien ven-
gado vuestro agravio y bastantemente satisfecha
vuestra honra? ¿Y qué en la república donde se ado-
15 ra Cristo, donde se predica su doctrina, donde se
confiesa su fe, ahí, en esa, haya foragidos contra
Cristo, herejes contra su doctrina, pervertidores de
su fe? Decidme, tizones del infierno, ¿si diez de
vuestros ciudadanos se concertasen y se hiciesen
20 leyes entre sí contra las de vuestra república, y las

---

10 *arancel*, «el decreto o ley que pone tassa en las cosas que se
venden, y en los derechos de los ministros de justicia: *a*, artículo
arábigo, y *rancel*, que dice valer tanto como decreto, determina-
ción, asiento». Covarr. *Tes. de la Leng. Cast*. Pero ya se ve que el
sentido en que lo trae el autor es muy otro, aunque no lo recoja el
*Diccionario de la Academia*. Aquí, como en otros pasajes clásicos,
tiene el valor de *cuenta, ejemplar, dechado, norma*. «Y mis obras
sean el *arancel* inviolable de las tuyas». Sor M. de Agreda, *Mística
Ciudad de Dios*, 2.ª p. l. 4, c. 4. Ed. 1670.—«Cuando crió Dios el
mundo, ...*hizo el arancel*, el orden que había de guarda cada cual en
sus acciones». P. P. de Vega, *Declaración*, etc., *Sal.*, 7, v. 11.

escribiesen y divulgasen, y en despecho de vuestra
ciudad y de sus gobernadores, las guardasen públicamente y persuadiesen a los demás que negasen
la obediencia a sus jueces y ministros de la justicia,
no se levantaría el pueblo todo y de común con- 5
sentimiento los apedrearían? Los viejos cansados y
que tienen helada la sangre cobrarían fuerzas nuevas, los mozos emplearían las suyas, los niños, las
mujeres y, al fin, todo el pueblo se pondría en armas contra los tales, como contra comunes enemi- 10
gos de la patria; derrocaríanles las casas, sembrarián-
selas de sal, como a traidores, borrarían sus nombres de todos los lugares y oficios públicos, y les
negarían sepulturas en el suelo que quisieron violar
con su tiranía, y como a monstruos, parricidas, ti- 15
ranos, y proditores de su patria y suelo, les darían
particulares y nuevos tormentos. Porque de tantas
muertes es merecedor el que a su república hace
traición, cuantos ciudadanos pone en riesgo de perder la vida. 20

¡Oh cielos! ¡oh tierra! ¡oh ángeles, y hombres, y
todo cuanto Dios tiene criado! ¿Y cómo lo diré? ¿Y
qué orejas podrán oir con paciencia, que no diez
ciudadanos, sino diez millones; no de las heces y
escoria del pueblo, sino de los más granados del 25
mundo; no allá por los rincones, sino en mitad de
las plazas, se hayan conjurado o concertado, o des-

---

16 *proditores*, por traidores. Se encuentra usado este innecesario
latinismo en los clásicos del XVI y XVII.

concertado, de hacer leyes, no contra las del Rey
sino contra las de Dios; y que las publiquen y de-
fiendan y persuadan al mundo, y tengan discípulos
de esta honrada secta estos traidores a Dios, al cie-
5 lo, a las leyes, a los hombres y a las buenas costumbres, y que tras eso vivan? ¿Que no los apedreen,
que no los hayan ya quemado, que paseen por las
calles, que los sustente la tierra, que los sufra la república, que no haya manos para quitarles vidas tan
10 indignas, que aun vean la luz del sol, testigo fiel de
sus maldades? ¡Oh furias infernales, que soléis ser
verdugos y ministros de la justicia de Dios! ¿quién
os detiene ahora que, desamparando esas tristes y
oscuras moradas, no salís a vengar tan horrendas
15 maldades? *Conjuratio, conjuratio inventa, est in viris
Juda, in habitatoribus Hierusalem. Reversi sunt ad
iniquitates patrum suorum priores, qui noluerunt
audire verba mea.*

En todo este capítulo va Dios hecho un león con-
20 tra su pueblo. Mándale a Jeremías que dé voces a
la plaza, y diga: «Maldito sea el varón que no guardare el concierto y ley que hice y di a vuestros padres, cuando les saqué de Egipto y les prometí de
ser su Dios, y que ellos fuesen mi pueblo». Llama-

---

15  *Jerem.*, 2.

21  *a la plaza*, en lugar de en la plaza.

24  *les prometí de ser.* Con frecuencia usa el autor, lo mismo que
otros clásicos, Cervantes y Santa Teresa, sobre todo, el *de* pleonás-
tico con el infinitivo, para hacer más gráfica la expresión.

do los he siempre; a eso me levantaba por la mañana y madrugaba, y les daba voces: «¡Oidme!; y
jamás me han querido escuchar, antes cada uno ha
tirado tras la maldad de su corazón». Y díjome el
Señor: «Una conjuración se ha descubierto en los          5
varones de Judá y en los vecinos de Jerusalén; y es
que se han vuelto peores que sus padres, y se han
ido tras dioses ajenos». Pues por esto dice Dios, yo
les daré tanto mal que no puedan salir de él, ni se
den a manos con él; y entonces me darán voces y          10
llamarán, y yo no los oiré; e irán a los dioses que
adoraron, y no los salvarán ni podrán. Y mira tú,
Jeremías, que te aviso que no me ruegues por ellos,
ni me ofrezcas sacrificio de alabanza, aunque los
veas degollar en esas plazas, y aunque te den voces      15
en su angustia para que los socorras y ores por
ellos, porque no te oiré y haré del sordo». Hasta
aquí son palabras de Dios por Jeremías. Castigo
bien merecido por cierto, y que parece que hablaba con los de este tiempo. Díceles Dios a sus pro-       20
fetas, que son los predicadores: «Dad voces por
esos púlpitos, y apregonad por esas plazas, avisad
a los hombres, que será maldito el hombre que no

---

«O gustáis de que yo al momento ordene
*de* poner en efecto los conjuros».

Cervantes. *Numancia*, jor. 1.ª p. 117. Madrid, 1898.

17   *haré del sordo* es lo mismo que me haré el sordo, según el uso
corriente. Si se dice *hacer del sordo* es que va implícita la palabra
*papel* u *oficio* para completar la frase.

guardare mi Evangelio, que yo les daré mi maldi-
ción el último día, cuando les diga: «¡Apartaos de
mí, malditos de mi padre, obreros de maldad!». Por
eso que guarden el concierto que hice con ellos en
5 el bautismo, cuando me dieron la fe de tenerme por
su Dios, y yo a ellos por mi pueblo; y que guarden
el pacto que hice con sus padres, cuando les saqué
de la captividad del pecado, ahogando sus enemigos, los demonios, en el Mar Bermejo de mi sangre.
10 Muchas veces los he llamado; madrugado he a buscar-
los, porque, en naciendo, los he prevenido; mucha
doctrina les he dado; muchos sermones han oído;
pero jamás me han querido escuchar. Y lo peor es
que han hecho conjuración contra mí y contra mi
15 Evangelio. Todos se han concertado de vivir conforme a sus leyes, contrarias a las mías; y los que
entran en la conjuración son los varones de Judá,
los grandes y los que se llaman caballeros; esos,
que son los prohombres de Judá, que es confesión,

---

3  *obreros*. Desde luego se nota que este término no lo usa el
autor ni en las acepciones que registra el *Diccionario de la Acáde-
mia*, ni en la significación corriente que esta palabra tiene, sino
como sinónimo de *obradores, ejecutores*.

8  *captividad* por cautividad.

9  *Mar Bermejo*, hace alusión al Mar Rojo.

15  *concertado de vivir*. Este *de* expresa finalidad y equivale a
*para*. El mismo uso tiene en Cervantes:

«Pues sabéis que mi voz es poderosa
*de* doblaros la rabia».

Cervantes, *Numancia*, jor. 1.ª, t. 1 p. 117.

los que tienen nombre de que me confiesan y me
llaman Señor, y dicen en las plazas que nadie se ha
de atrever a competir con ellos en virtud y bondad
y se confiesan por cristianos. Y no son solos ellos
los conjurados, porque les siguen todos los vecinos  5
de Jerusalén como a cabezas, todos los que habían
de ser hijos de visión de paz; éstos se me han rebe-
lado, se me han hecho hijos de guerra, soldados del
demonio.

No ha parado ahí, que, aunque sus padres fueron  10
malos, ellos son mucho peores, y se han ido tras
dioses ajenos, porque cada uno tiene un dios particular. El uno adora su avaricia; el otro tiene otro
dios de torpeza; este otro, otro de honra y de venganza. Pues yo les daré tanto mal, que no se den a  15
manos con él, porque haré que todo cuanto preten-
dieren se les vuelva y convierta en pena y tormento; yo los enredaré en guerras, en bandos, en
muertes, que ni puedan ni sepan salir de ellas. Y
entonces me darán voces cuando se vean cercados  20
de muerte, y yo no los socorreré, ni remediaré, porque no lo merecerán sus maldades. Yo los haré
desdichados, sus hijos morirán ante sus ojos, sus
enemigos se los degollarán en su presencia, y no
los podrán remediar. Querrán acudir a los dioses  25
que adoraron, a pedirles socorro, esto es, a su dine-

---

4 *Se confiesan.* Comp.: «De allí *se confiesa* miserable de donde
fué desventurada». Fr. J. de los Angeles, *Triunfos del Amor de Dios*,
391, Ed. 1901.

ro y hacienda y amigos, y todo les faltará. Y mirad
vosotros, que sois mis santos, que os aviso que no
me roguéis por ellos como por gente descomulga-
da; privádmelos de los sufragios y participación de
5 mi Iglesia, que no es razón que valga mi casa a los
traidores contra mí, ni la Iglesia es bien que soco-
rra a los foragidos, y que se me revelan.

¡Oh castigo espantoso, y que os había de hacer
temblar y meter debajo de tierra! ¿Qué diga Dios
10 que no os oirá cuando le llamáredes en vuestras
angustias; que tapará los oídos a vuestros gritos;
que cerrará los ojos a vuestros llantos; que oiga
Dios a los demonios que le piden licencia para entrar en los puercos; que oiga a Satanás y le conce-
15 da lo que le demanda, que es tentar a Job; que
haga el ruego del diablo que pidió el Jueves de la
Cena poder para acribar los discípulos, y que a éstos tales oiga Dios, y a vos, pecador malo, perverso, peor que mil demonios, jure que no os oirá?
20 ¿Qué a su mortal enemigo le dé lo que le pide, y a
vos, vengativo, os niegue aun la vista? ¿Qué el que

---

4 *descomulgados,* anticuado, por excomulgados o apartados de
la comunión de la iglesia. También se usa en la acepción de *malvados* y *perversos,* o eufemísticamente, por *malditos.*—«Para que lo re-
mediaran antes de llegar a lo que ha llegado, y quemaran todos
estos *descomulgados* libros». *Quijote,* I, 191.—«No digas esso, cata,
que te haré *descomulgar».*—A Valdés, *Diálogo de Mercurio y Ca-
rón,* 85.

16 *que haga el ruego,* es decir, que atienda y realice el ruego, etc.
18 *oiga*; *oya* trae la edición *princeps.*

se arde en un infierno tenga alguna vez un *sí* de la
boca de Dios, y vos no alcancéis que os escuche?
¿Murió por el demonio? ¿Derramó sangre por Satanás? ¿Dió la vida por el diablo? No, sino por vos, y
sois tan malo, que menos aborrece a los del infierno que a vos.

Decidme, locos, malvados, sin Dios, sin ley, sin
virtud, sin bien, leña para el fuego que jamás se
acaba: ¿cómo no os espanta que no manda Dios a
su Iglesia que deje de rogar por los herejes, no por
los moros, no por los turcos ni paganos, ni judíos,
comunes enemigos y perseguidores de la Iglesia y
de sus hijos, y que mande que no ruegue por vosotros? Decidme más: ¿cuáles son más dañosas, las
obras malas y públicas o las palabras malas? Cierto
está que las obras; pues ¿qué Dios, qué ley, qué
razón consiente que haya fuego para mis palabras,
si hablo lo que no debo, y que no la haya para vuestras obras, haciendo lo que no debéis? Que lo haya
para mí, muy justo es, porque es razón que yo mire
lo que digo; pero mucho más justo es que lo haya
también para vosotros, pues no miráis lo que hacéis.

He aquí cómo hay pecadores que hacen honra y
gala de la afrenta, esto es, del pecado, y blasonan
de él, como si el pecar fuera acto de virtud. Estos
tales poca señal tienen de predestinados; no digo que
no lo son, que este secreto guardóselo Dios para sí;
pero digo que se les echa poco de ver el serlo, si
lo son.

Hallaréis otros que se afrentan y avergüenzan tanto, que no osan llegar a los pies del confesor. Llega el otro, desuellacaras, homicida, robador de los pobres, con mil pecados mortales, que el menor 5 dellos escandaliza el aire; dice que se quiere confesar y que viene de priesa, que no se puede detener; es menester que se despidan los que ha un mes que no hallan vez para confesarse, porque llega el *Señor Don Fulano*. Veréis la priesa del tejer de los 10 pajes por confesionarios, en busca del *Padre Maestro Fulano*, el ir y venir de los recados, el menudear de las embajadas; el ir en persona el Prior o el Guardián, que se desembarace y lo deje todo, aunque esté a media confesión, que otro día la acabará, y si no 15 que no importa, «que está esperando el *Señor Don Fulano*». Veréis al confesor echar gente menuda abajo, levantarse y salir del confesonario más hinchado que algún privado necio, que apenas cabe

---

6   *priesa*, por prisa. Era de uso constante.

«Así se queja Belisa
cuando la *priesa* se llega;
hacen señal a las naves
y todas alzan las velas».

L. de Vega, *Poesías Líricas*, 106.

Nótese cómo el *Libro de la Magdalena* deja aquí, como en otros varios pasajes, de ser un libro literario piadoso para convertirse en soberbia pintura, en realísimo cuadro de costumbres. Estas páginas en que el autor esgrime con valentía la finura de su sátira son, no sólo un dechado de estilo vivaz y pintoresco, sino también un documento para estudiar las corruptelas y penetrar en las intimidades de una época. Todo el pasaje es de un realismo y de un desenfado casi novelesco.

por la iglesia y el claustro se le hace angosto.

En tanto vuestro penitente se está paseando, renegando del confesor y de su tardanza. Al fin sale el *Padre Maestro* a acompañar a su penitente; llévale a la celda, porque son pecados de cámara los que trae; llega el paje descaperuzado, y pone la almohada de terciopelo porque no se lastime. Hinca la una rodilla, como ballestero; persígnase a media vuelta, que ni sabréis si hace cruz o garabato, y comienza a dar de dedo y a desgarrar pecados, que hace temblar las paredes de la celda con ellos; y si el confesor se los afea, sale con mil bachillerías, y dice que un hombre de sus prendas no ha de vivir como vive el fraile, y parécele que todo le está bien. Al fin, sálese tan seco y tan sin jugo como entró, y el desventurado muy contento, como si Dios tuviese cuenta con que desciende de los godos. Veréis llegar al otro pobrecillo temblando, y antes que ose pedir por el confesor, se derrueca allá tras la pila de bautizar, y allí llora sus pecados y los gime. Después, cuando ya le quieren admitir, llega temblando y tragando saliva, y añúdansele las palabras en la garganta, que de miedo no las puede sacar del pecho, y no osa levantar los ojos a mirar al confesor. Pues ya si lo que confiesa le dicen que es pecado mortal, veréisle perdido el color y temblar, que piensa que allí donde está se lo ha de tragar la tierra, y llora y pide perdón con miedo y humildad. De éstos era la Magdalena cuando llegó a los pies del Señor.

## XIX

*Stans retro secus pedes ejus.* Como ya el Espíritu
Santo tenía en sus manos el corazón de esta mujer,
ninguna cosa hacía que no fuese instruída y movida
5 por el mismo. Pues no vaca de gran misterio que,
llegando al Redentor, se pusiese a las espaldas y no
delante del rostro. Cuando el padre no tiene mucha
gana de castigar a su hijo, que hace alguna travesu-
ra, hace como que no le ve y vuelve las espaldas,
10 porque no le obligue a castigarle; que cierto está
que muchos hombres cuerdos hay que disimulan
cosas que las saben; pero por no ponerse a vengar-
las, se hacen ciegos y sordos, y que no oyeron la
palabra descomedida que el otro le dijo, porque no
15 quieren ponerse en ocasión de perderse.

Así leemos de algunos reyes que, con oir decir
mal de sí mismos, han hecho como que no lo oían.
Y de éstos fué Saúl, rey de Israel, que habiéndole
Dios hecho rey y estando en cortes el pueblo para

---

4  *instruída,* en el sentido de enseñada o enderezada.

5  *vaca de,* por no carece de.—«No *vaca de* misterio, que Dios
N. S. en sacando a los hijos de Israel de Egipto». Guevara, *Oratorio
de religiosas,* fol. 72.

jurarle, dice la Sagrada Escritura que algunos hijos
de maldad le tuvieron en poco y dijeron: *Nunc sal-
vare nos poterit iste?* ¿Y éste nos podrá defender y
amparar de nuestros enemigos? Y dice que no le
trajeron presentes como los demás; y concluye el
capítulo con decir: *Ille vero dissimulabat se audire.*
Que desimulaba Saúl y hacía como que no lo oía.
Pues aunque es verdad que a los ojos de Dios no
hay cosa escondida, como él lo dice por Jeremías:
«Por vida mía que no hay tan secreto rincón, ni só-
tano tan oscuro donde se pueda meter un hombre
que yo no le vea»; y David le dice: *Quo ibo a spiritu
tuo? et quo a facie tua fugiam?* etc.; ¿a dónde huiré yo
de vuestro rostro? que si me subo al cielo, allí estáis
hinchiendo de gloria a los de allá; si diere conmigo
en el infierno, allí os hallaré castigando los malos;
pues si me levantase antes del día, y me prestase el
cierzo sus alas para huir, ¿a dónde iría? Que no hay
Perú tan apartado, ni China, ni isla tan secreta, ni
tórrida zona tan ardiente, ni círculo boreal o brumal
tan helado donde no alcance vuestra poderosa mano
y me saque a plaza.

Y dije: «Ahora quizá que las tinieblas me esca-
parán que no me vean». Pero fué dislate, porque:
*Nox illuminatio mea in deliciis meis.* No ven tan poco
vuestros ojos que los ciegue la noche, y ella sirve

---

2  *Reg.,* 10.
9  Jere., 23.
12  *Sal.,* 3, 8.

de luz para vos en mis deleites. Este fin de este verso
tengo gran sospecha que ha de decir en mis delitos
y no en mis deleites; porque va tratando de cómo
no puede esconderse de Dios, y dice: «Si yo qui-
5   siere ampararme con la oscuridad de la noche, ésta
me será luz para que me veas. Cierto está, que el que
obra bien ama la luz; y así no tiene por qué temer
de salir a lo claro, ni para qué esconderse de los ojos
de Dios; pero el malo y que obra maldades, este tal
10  ama las tinieblas, porque no se vean sus torpezas y
malas obras.

Esto dijo el Señor, hablando con Nicodemus:
«Vino la luz al mundo, que soy yo, y amaron más los
hombres las tinieblas que la luz», porque eran por
15  cierto malas sus obras; ca todos los que hacen mal
aborrecen la luz, y no salen a ella, porque sus obras
no sean reprendidas. Pero el que hace verdad y la
trata, huélgase con la luz, y saca sus obras a plaza
para que se vean, porque son hechas en Dios.

20   Pues como vemos que donde da la luz descubre
cuanto halla, y donde hay oscuridad todo se nos

---

12   Joan., 3.

18   *huélgase*, muy usado en sentido de alegrarse o regocijarse.—
«Mucho me *holgara* entrásemos mañana en Antequera». R. Villan-
drando, *Viaje entretenido*, l. I.

«Levante la corona hasta la luna,
y se *huelge* tras esto
en tan sublime parte haberla puesto».

Villegas, *Eróticas o amatorias*, 177,
ed. N. Cortés. «Clás. Cast.»

esconde, y aunque lo tengamos delante de los ojos
y lo traigamos entre los pies, no lo vemos ni topa-
mos con ello; los pecadores, que no acaban de caer
en que Dios es clarísimo sol que todo lo alumbra,
piensan que no verá los pecados que ellos cometen 5
en tinieblas. Y pues David va probando que es por
demás ampararse de la noche, y Cristo dice que
los malos y que mal obran se esconden y aman las
tinieblas, bien se sigue que nuestro verso ha de decir: «Dije quizá que las tinieblas me esconderán; 10
pero la noche me será día para descubrir mis delitos»; y no ha de decir *mis deleites*; que en lo hebreo
está: *Nox quoque lux erit circa me*. Y Simmaco lee:
*Nox, lux circa me sedet*. Y otros: *Et nox illuminabit
circa me*. Que todo es uno y quieren decir: «La no- 15
che es como luz que me rodea». Bien es verdad que
no me desagrada lo de Nicolao de Lyra, que dice
conforme a nuestra traducción: «La noche me es
luz, y mi alumbramiento en mis deleites»; de suerte, que toma deleites en mala parte, esto es, por los 20
vicios sensuales, en que ordinariamente ofenden los
hombres de noche. Y este sentido es conforme a lo
que habemos dicho aquí.

Digo, pues, que aunque todo esto es verdad, que
al Señor nada le es oculto, con todo eso, los hom- 25
bres tratamos con él como con otro hombre, y así
le rogamos que aparte sus ojos de nuestros peca-

---

17  *Sal.* 50.

dos, que disimule y haga como que no los ve, para
que así no nos castigue, que es lo que le suplicaba
David: *Averte faciem tuam a peccatis meis.* Señor,
apartad vuestro rostro de mis pecados. Este mismo
5 aviso guardó aquí la Magdalena, llegando por las
espaldas, hurtando el cuerpo al rostro del Redentor.

## XX

Pero entiendo que hay aun más misterio en llegar por las espaldas. Y para esto es de saber que,
como dijimos al principio, ponderando el pecado,
es de tanto peso, que no hay jayán a quien no de- 5
rrueque, si le toma a cuestas. Probámoslo, pues
cargando sobre las espaldas de los más valientes de
los serafines y los demás ángeles que siguieron al
Supremo, no pudiendo sufrir su inmenso peso, cayeron con toda la carga en el centro del abismo. Y, 10
por saber bien lo que pesa, decía David: *Sicut onus
grave gravatæ sunt super me.* Hanse cargado mis
maldades a cuestas como carga muy pesada. Cargó
nuestro primer padre un solo pecado sobre todos
los hombres, y pesó tanto la carga que a todos los 15
mató. Y por eso decía San Pablo: «Por un hombre

---

5 *jayán*, como sinónimo de gigante. Recuérdese las repetidas
veces que se emplea en el *Quijote* este término. —«Jayán, el hombre
de estatura grande, que por otro término dezimos gigante». Covarrubias.—«Ese es el segundo *jayán* o enemigo que dificulta y
obstruye la entrada en el reino de Dios». Fr. Juan de los Angeles,
*Conquista del reino de Dios*, 244. Ed. P. Mir, 1885.

11 *Sal.*, 37.
16 *Rom.*, 5.

entró el pecado en el mundo, y por el pecado pasó la muerte a cuchillo a todos los hombres».

Era, pues, menester que se buscase alguno de tan buenas fuerzas que, aunque tomase a cuestas los
5 pecados de todos, no le derrocasen y los pudiese llevar; uno de tan buenas espaldas que no cayese con la carga. No le había en la tierra, pues venga del cielo. ¡Oh! que hay ángeles y Dios; pues no vengan ángeles, que ya han probado que no pueden
10 con la carga, y venga el mismo Dios que, aunque caiga por la muerte de lo humano que tomó, se podrá levantar con lo divino que tiene. Y así, fué menester que el Hijo de Dios viniese al mundo, y tomase nuestros pecados sobre sus espaldas y llevase
15 nuestra carga. Y esto quiso decir el Señor, cuando dijo: «No ha enviado Dios a su Hijo para que condene al mundo, sino para que por él se salve el mundo, pagando y tomando a cuestas su pecado».

Esta es lo que nos pronosticó aquella hazaña de
20 Abraham cuando, llevando a sacrificar su hijo Isaac, clara figura del Hijo de Dios, le cargó la leña a cuestas, y el hijo cargado así con ella la subió al monte, donde había de ser degollado. Donde hay muchas cosas que considerar: la una que, al man-
25 darle Dios que le sacrifique su hijo, dice que es de

---

16  Joan., 3.
19  *pronosticó*, en la acepción de anunciar o significar.
20  *Genes.*, 22.
23  *Donde*, es equivalente aquí al relativo en *lo cual*.

noche, por mostrar las tinieblas del pecado, en que
estaba sepultado el mundo, y que para alumbrarlas
era menester el sacrificio de nuestro verdadero
Isaac, Cristo. Y así le sacrificó de día, porque fué
la luz de aquellas tinieblas, y la verdad y el cuerpo 5
de aquella sombra. Dícele más: «Toma a tu hijo
unigénito, que amas, Isaac». Y no quiere Dios que
tenga más de aquel, para que aun en esto nos re-
presente al Hijo de Dios, que es unigénito del Pa-
dre eterno.                                                       10

Dice más la Escritura santa, que el padre mismo
puso la leña sobre las espaldas de Isaac, porque
Dios puso en las de su Hijo todos nuestros pecados.
Y a este hecho del gran Patriarca aludió el profeta
Isaías, diciendo: «Él fué herido por nuestras malda- 15
des, y fué quebrantado y molido por nuestros pecados. Todos nosotros erramos como ovejas, y el Señor
puso en él las maldades de todos nosotros». Usó del
mismo término Isaías que allá en el *Génesis*, porque
dice: «Tomó Abraham la leña del sacrificio y púso- 20
la sobre Isaac». Y aquí dice el Profeta: «Tomó Dios
los pecados de todos los hombres», que son la leña

---

8   *más de*, usado frecuentemente en los clásicos con sentido exclusivo, en lugar de *más que*. «El filósofo Aristóteles menospreció
la gran privança que tenía con el rey Alexandro, no *por más de* por
tornarse a su Academia a leer filosofía». Guevara, *Menosprecio*, etcé-
tera, 60.—«No saben *más de* entenderlo cuando lo leen o lo oyen,
mas si después lo quieren contar a otros no aciertan». Francisco de
Osuna, *Abecedario Esp.*, Trat. XVI, c. II. Ibid.

15   Isai., 53.

que quemó, esto es que mató a Cristo, y así decimos que nuestros pecados le mataron, y púsolos
sobre su Hijo. Y a esto de Isaac y al dicho de Isaías
aludió S. Pedro, hablando a este mismo propósito:
5 «Cristo, dice, tomó todos nuestros pecados y car-
góselos a cuestas, y subióse con ellos en una cruz
para matarlos y despeñarlos allí abajo».

De manera que fué artificio divino que, viendo
que los hombres no podían más con la carga, tóma-
10 la el Padre y cargósela a su Hijo; como cuando hacen leña los leñadores y tienen una acémila de carga allí, que los haces de leña que han hecho los
toman a cuestas, y porque ellos no los podrían traer
tanto trecho, cárganlos sobre la acémila y ella los
15 trae a casa todos justos. Así hizo Dios, que llegó
Adán con hacecillo de pecados, y dícele: «Señor,
en verdad que yo no puedo más, por eso tomadme
esta carga», y tómala el Padre y arrójala sobre las
espaldas de su Hijo. Viene Abel con su carguilla, y
20 hace otro tanto. Llega Abraham, David, Moisés,
Aarón con su becerro, Salomón con su idolatría, su
padre con su adulterio y homicidio, María la hermana de Moisés con su murmuración; y, al fin, llegan todos los hombres con sus hacecillos de peca-
25 dos, cual más, cual menos: tómalos el Padre todos
y cárgalos sobre aquellas fortísimas espaldas de su
Hijo, como quien carga una bestia; y era tanta la

---

4 I Pet., 3.
20 *llega*; *llegó* leo en Rivad. y en la ed. de Valencia.

carga que le hacía gemir y le hizo arrodillar y reventar con ella y morir en una cruz, aunque, como bravo elefante, se tornó a levantar en su Resurrección.

No ofenda a nadie el haber comparado aquí a nuestro Redentor a bestia cargada, porque él mismo puso la comparación por David, diciendo: *Ut jumentum factus sum apud te, et ego semper tecum. Tenuisti manum dexteram meam, et in voluntate tua deduxisti me.* Sirvió mi humanidad, en vuestra presencia, de bestia de carga, dice el Hijo al Padre, porque le cargastes a cuestas cuantos pecados tenían los hombres, y yo los pagué por todos. Llevabádesme vos de la mano, como quien guía del cabestro una bestia cargada, porque no tropiece con la carga, y yo, Señor, seguía tras vuestra voluntad. Sabiendo esto el real Profeta David, dijo en persona del Redentor: *Supra dorsum meum fabricaverunt peccatores, prolongaverunt iniquitatem suam.* Sobre mis cervices

---

3   *como bravo elefante.* Nótese la impropiedad de la comparación con el elefante, por más que el autor trate de atenuarla, y los extremos a que le conduce, lo mismo en este pasaje que en otros varios, el afán de novedades y de enriquecer el estilo con giros y locuciones y términos poco frecuentados en las obras literarias, a no ser en las de carácter popular y costumbrista.

6   *Salm.* 72.

12   *Llevábadesme,* por llevábaisme.

14   *porque,* con sentido final, para que.

16   *Salm.* 118.

18   *cervices* por cerviz. Es poco usado en plural en esta forma y aquí lo hace el autor para dar más fuerza y expresión a la frase. En Covarrubias se lee: «Desceruigado, tener torcidas las cernices». *Tesoro de la Leng.*

fabricaron los pecadores sus maldades, esto es, las cargaron como en quien había de pagar por ellas.

Bien sé que este verso se puede interpretar de la persecución que los judíos hicieron a Cristo, hasta quitarle la vida, y también de la Iglesia Católica, que ha sido siempre perseguida de los malos; pero muy bien cabe el sentido que le habemos dado. Este tomar Cristo nuestros pecados sobre sus espaldas nos lo dijo S. Pablo en extremo bien: *Vetus homo noster simul crucifixus est cum eo, ut destruatur corpus peccati, et ultra non serviamus peccato.* Abrazóse Cristo, dice el Apóstol, con nuestro hombre viejo, con el viejo Adán, con el hombre exterior, con el cuerpo de pecado, con nuestras pasiones y deseos, que todos estos nombres y muchos más le da San Pablo al hombre que heredamos de nuestro Adán terreno, y dió con él en una cruz, para alancearle en ella y destruirle y quitarle la vida, porque, muerto ya nuestro cuerpo de pecados, que son un montón que hacen cuerpo, como a muchos soldados juntos llamamos *cuerpo de batalla*, ya no sirvamos al pecado ni seamos sus esclavos; y aunque sea *miscere sacra prophanis*, que suelen decir, quiero traer aquí una historia que viene muy a pelo.

---

9   *Ad Rom.*, 6.

9   *en extremo bien*, forma equivalente a un superlativo.

24   *muy a pelo*; es corriente este modismo para indicar que una cosa viene muy a propósito o está bien traída. Huelgan los ejemplos.

Cuenta Valerio Máximo en el tercero libro que, habiéndose alzado con el reino de Persia ciertos tiranos, que llamaban los *magos*, conjuráronse algunos de los nobles de matarlos y poner en libertad la tierra. Uno de los conjurados fué un caballero, llamado Gobrias, valerosísimo persiano. Entrando, pues, una noche en palacio para matar a los tiranos, acaeció que, echando mano a las espadas contra ellos y poniéndose los magos en defensa, Gobrias se abrazó con uno de ellos, y andando así a los brazos, forcejando cada uno por derribar a su contrario, entrambos vinieron al suelo en lugar escuro. Fué tan buena la ventura de Gobrias que pudo coger a su enemigo debajo; mas el mago, viéndose en peligro de muerte, apretó de tal suerte a Gobrias que no le dió lugar de aprovecharse de la daga. Acudió a aquella parte uno de los caballeros conjurados, y dudando de herir al mago, por no matar a su compañero Gobrias, por la gran oscuridad del lugar donde estaban, él le dió voces diciendo: «¿Qué dudáis de libertar nuestra patria? pasad la espada por mi cuerpo, a trueque de que este tirano muera». El otro caballero, oyendo esto, tiró una estocada, y fué

---

1   Val. Máximo. *Histor.*, lib. III, cap. 2; Herodoto, *Hist.* lib. III.

3   *conjuráronse de matarlos*: el *de* expresa finalidad. Es frecuentísimo en Cervantes y en algunos clásicos anteriores a Malón de Chaide, como queda ya indicado.

6   *persiano*, igual que persa.

13   *la ventura*, por la suerte.

Gobrias tan venturoso que, sin daño suyo, murió el mago con ella.

Pocas cosas toparemos en las historias que vengan más a pelo para lo que vamos tratando que 5 ésta, ni que mejor nos declare el lugar de S. Pablo. Habíase alzado con el hombre el pecado, y teníale tiranizado; quiere el Hijo de Dios ponerle en libertad y abrázase con él, que es el *hombre viejo* que llama S. Pablo; y, andando a los brazos, dan entram- 10 bos en una cruz, y *vetus homo noster simul cruci- fixus est cum eo.* El Padre no las ha con el Hijo, sino con el pecado; da las voces el Hijo, y dice: *Corpus adaptasti mihi, tunc dixi: Ecce venio.* Ya, Señor, me distes cuerpo con que pueda pagar, pues véisme 15 aquí que vengo a eso; pasad la espada por mi cuerpo, a trueque de que *destruatur corpus peccati*, que el cuerpo del pecado muera y se acabe este tirano. Hácelo así el Padre y muere el viejo Adán y queda libre Cristo; porque es *inter mortuos liber* que dijo 20 David, es libre entre los muertos. Esto mismo nos dijo Isaías, aunque por otro lenguaje y con otra metáfora: *Et faciet dominus exercituum omnibus populis in monte hoc convivium pinguium medulatorum, convivium vindemiæ defecatæ; et præcipitabit in monte*

---

1 *venturoso,* por afortunado.

9 *andando a los brazos;* modismo que vale tanto como *pelear, contender.* «¡Oh Señor mío, y qué de veces os hacemos *andar a bra- zos* con el demonio!». Sta. Teresa, *Camino de perfección,* I, 139.

21 Isai., 25.

*isto faciem vinculi colligati super omnes populos; et præcipitabit mortem in sempiternum.* Este lugar es divino para nuestro propósito, y también le traeremos para cuando hablaremos del admirable y suavísimo Sacramento del cuerpo y sangre de Cristo en su *Tratado*. Dice pues el Profeta: «Hará el Señor en este monte, que fué en el Calvario, un convite a todas las gentes y a todos los pueblos, porque por todos murió. Será la comida y el vino riquísimo, y cual conviene para tal mesa, porque serán los que se darán a la mesa manjares gruesos, sustancialísimos, de grandísimo nutrimento; serán cañas de vaca, que parece que hizo alusión el Redentor a este convite, y en especial a esta palabra, cuando dijo por S. Mateo que un Rey casó a su hijo e hizo un famoso banquete y, enviando a llamar a los con-

---

6 *Tratado*. Este *Tratado del Santísimo Sacramento* a que alude el autor, y que promete también en otro pasaje más adelante, ha corrido la misma suerte que los demás tratados del P. Malón de Chaide, si es que llegó a escribirse, ya que aquí sólo anticipa un propósito, mientras que al hacer referencia de los otros dos *Tratados*, de los cuales ya se ha hablado, los da el autor como cosa hecha y próxima a la publicación. No existe, hasta ahora al menos, el menor indicio de que llegara a publicarse con su nombre, ni si, manuscrito, hubo quien lo utilizó, del modo que el P. Saona indudablemente hizo con los demás *Tratados* del P. M. de Chaide, como se deduce de un somero cotejo y de las propias palabras del P. Saona, como se verá en otro lugar.

13 *cañas de vaca*; «la pulpa de los huesos de las vacas o tuétanos, llamamos cañas de vaca, por ser la medula de las cañas, que assi se llaman los huesos de piernas y braços, por otro nombre Cañillas». Cov., *Tesoro de la L. Cast.*

vidados, mandó a los pajes que les dijesen: «Señores, ya la comida está a punto, las vacas están muer-
tas y las cañas en los pasteles reales, los capones
cebados, y las demás aves gordas están de sazón, y
5 la comida aguarda en la mesa, y el Rey mi Señor
os espera; por eso no es razón de hacerle detener.

Hablaba el Señor en esta parábola, de la Encarnación suya y de su muerte y de la rica comida que
les había aparejado a los judíos con sus méritos y
10 sangre, y, siendo ellos los convidados, no quisieron
venir. Dice nuestro Profeta: «Allí sobre el monte
hará el banquete, donde dará su cuerpo sacrificado
por comida y su sangre, derramada por los hombres
y ofrecida al Padre, en bebida». Vino sin heces,
15 vino fortísimo, vino nuevo, de quien dijo él mismo:
«Nadie echa el vino nuevo en cueros viejos»; esto
es, en corazones envejecidos en vicios y pecados,
cuales eran los judíos, hechos al vino viejo y flojo de
la ley de Moisés, que la llamaba el Apóstol enfer-
20 ma y flaca, vino de flacos estómagos; mas el vino
que en esta comida nos da es nuevo, fuerte, de vigor,
para buenos estómagos, sin madre, sin heces, apu-
rado, al fin, es la sangre de Dios, la gracia y sus
méritos. Dice que será convite general, porque a
25 todo el mundo convida el Señor con el mérito de su
pasión. Y de suyo bastante fué para todo el mundo

---

15  Matt., 9.
22  *sin madre.* «La materia más crasa o heces del mosto o vinagre
que se sienta en el fondo de la cuba o tinaja». *Dicc. Acad.*

y aún para otros mil que hubiera; culpa es de los
malos que no quieren ir a las bodas como los otros
convidados. «Despeñará, dice, sobre este monte el
lazo enredado»; que declarándose más, dice luego:
«despeñará la muerte para siempre». Llámase *lazo*, 5
y aun *muy bien atado*, más malo de deshacer que el
de Gordio que cortó Alejandro, cuando dijo el *tanto monta*, porque todos estábamos enredados y en-
lazados en la muerte como dijo David: *Quis est homo qui vivet, et non videbit mortem?* ¿Qué hombre en- 10
tró jamás en el mundo y pisó alguna vez la tierra,
que se escapase de las uñas de la muerte?

Pues este lazo, esta obligación que tenían el demonio y la muerte sobre nosotros, rompió el Señor
y la borró en la Cruz, que es el triunfo que dice San 15
Pablo a los colosenses: «y siendo vosotros muertos
en vuestros pecados, os convivificó Dios con Cristo,
haciéndoos donación y dejándoos de balde todos
vuestros delitos, cancelando la carta de obligación
que contra vosotros tenían el domonio y la muerte, 20
por aquel antiguo decreto que se dió en el paraíso del

---

8  *Tanto monta.* Es un proverbio clásico que el autor indica sin
completar, pues como suele usarse es diciendo: *Tanto monta cortar
como desatar.* «Tomóse este modo de dezir de aquel ñudo Gordio
que no pudiéndolo desatar Alexandro, le cortó diziendo las sobredi-
chas palabras». Covarr , *Tesoro.—Tanto monta cortar como desatar*
es lo del *nudus gordianus».* Correas, *Vocab.,* 472.

9  *Salm.,* 88.

16  *Colos.,* 2

18  *Dejándoos de balde,* es decir, perdonándoos.

*in qua hora comederis morte morieris*, que fué sentencia de muerte; y arrancóle del registro y original del proceso, y pególo y enclavólo en la Cruz. Pues a esto se subió el Hijo de Dios en una Cruz y esta es la
5 hazaña que hizo, y para esto tomó nuestros pecados para que, subido en lo alto, los despeñase de allí abajo.

Esta teología le había asombrado Dios a David y tuvo como un relámpago de ella allá, después de su
10 pecado. Cuenta la Escritura que, habiendo David quedádose en Jerusalén un verano, estándose paseando una siesta por un corredor, vió a Bersabé que se bañaba en una solana a otra parte, quizá bien descuidada de que el Rey la miraba. Parecióle bien
15 a David, y sin más reparar en ello, envióle un recado y mandó que se la trajesen; que ya no está en más en no tener vos mujer, que en acertar a parecer bien al Rey o al Grande. Así cuando entró el buen Abraham en Egipto, dice el *Génesis*, que la vieron
20 los señores de la corte y alabáronla delante del Rey

---

1   *Gen.*, 2.

8   *asombrado.* Entre las distintas acepciones que tiene el verbo *asombrar* (*dar sombra, espantar, atemorizar* y «espantarse de la sombra, vicio de las bestias cortas de vista», que apunta Covarrubias) no veo consignada la significación especial en que la usa aquí el Padre M. de Chaide, que es, evidentemente, la de *dejar entrever, mostrar entre sombras*.

10   II *Reg.*, 12.

19   *Gen.*, 12.

19   *la vieron.* Este *la* sin término anterior expreso es indudable que hace referencia a la mujer de Abraham.

Faraón y en volandillas se la llevaron a palacio; *que al rey su voluntad le es ley*, y lo que le da gusto eso se hace y todos procuran agradarle, aunque sea a costa de la honra de Dios. Guste el rey, que todo lo demás poco importa a su parecer. Otro tanto hizo Abimelec, rey de Gerara, con el mismo Abraham, y le tomó a Sara, como se cuenta a los veinte capítulos del *Génesis*; y porque ya este caso está tan predicado que hasta los niños lo saben, no me detengo a contarle.

Digo, pues, en suma, que habiendo hecho matar al buen Urías y después de haber parido un hijo Bersabé, David estaba aun en su sueño, hasta que Dios envió al profeta Natán para que le despertase.

Al fin, siempre nuestro Dios y Señor es el que primero nos acude y llama; y en esto se verá el daño que hace el pecado, pues a un tan gran amigo de Dios, y tan cuidadoso y recatado, le hizo olvidarse tantos días y meses. Llegando pues el Profeta y descubriendo y alegrando la llaga vieja medio infistolada, pónele una venda delante los ojos, porque no

---

1   *en volandillas*, es lo mismo que *en volandas*, modo adverbial, que significa rápidamente, en un instante.

2   *que al rey su voluntad le es ley*, es en el fondo equivalente al conocido refrán castellano, *allá van leyes do quieren reyes.*

20   *alegrando*, usado metafóricamente por *avivando.*

21   *infistolado*, es anticuado: el Diccionario anota *afistolar* y *enfistolarse*, pero no *infistolar. Fístola* se llamaba «la llaga pequeña honda y callosa». *Dicc. Acad. Infistolada* tiene aquí el sentido de callosa y hondamente ulcerada.—«Estaba ya la llaga tan negra y tan *fistolada* que apenas se parecía la espina». A. de Guevara. *Epístolas*

le espantase ni alborotase el hierro del cirujano;
porque las reprehensiones de los reyes y grandes,
para que les hagan provecho y no los empeoren, es
menester que vayan con gran tiento y muy arrebo-
zadas, so pena que no solo no curarán, mas se volverán contra los médicos que los curan. El buen Profeta usó de tal máscara que, no entendiendo David
el lazo, dió de pies en él y sentenció contra sí; como
lo hizo el Señor con los fariseos en la parábola de la
viña que les propuso del padre de familias, que la
arrendó a unos malos villanos, y no sólo no le pa-
garon el fruto, mas aún maltrataron a los criados
que le fueron a cobrar y al hijo que envió. Pregun-
tóles el Señor: «¿Qué hará el dueño de la heredad a
tales arrendadores?» Respondiéronles los fariseos,
bien ajenos de la celada: *Malos male perdet, etc.* Señor, a los malos tratarlos ha mal y destruirlos ha y
arrendará sus viñas a otra mejor gente, que le paguen su tributo a sus tiempos, como es debido y es
razón le acudan con él.

---

*familiares.* I, 24.—«¿Quién imaginará que Isaías había de curar al Rey
Ezequías de una llaga mortal con emplastro de higos, que si su ca-
lidad se considera había de enconar y *enfistolar* la herida?» P. A.
Jarque, *Tratado de la misericordia de Dios*, p. I, dis. 12. Ed. 1662.

    7  *máscara*, sinónimo aquí de *disimulo* o *invención*. Conviene con
la segunda acepción que de esta palabra trae Covarrubias; «la inuen-
ción que se saca en algún regocijo, festín o sarao de caualleros, o
personas que se disfraçan con máscaras. Quitarse la máscara es de
clararse la persona que hasta entonces había andado con tal disimu-
lación», *Tesoro de la L. Cast.*

    8  *dió de pies*, es decir, cayó en él.

Quitó Cristo la máscara y dijo: «Pues así hará mi Padre con vosotros que, por malos, os destruirá y quitará el templo y sacrificios,» etc. Así hizo aquí Natán con el Rey. Dice el Rey: «¡Vive Dios! que quien al pobre le quita su oveja, que le ha de pagar muchas por ella». «¡Ah David! que vos sois éste, que matastes a Urías, quitástesle la mujer y tenéis escandalizado el pueblo». Cae el rey en la cuenta de su pecado y dice: «Pecado he; yo lo conozco y me confieso por pecador». En ese mismo punto dícele el Profeta: «Pues el Señor ha traspasado tu pecado; pero tu hijo lo pagará, que ha de morir y tú quedarás libre.»

He aquí lo que buscábamos. Peca David, perdónale Dios. No dice que borra el pecado ni que le rae ni que le quita del todo, sino que le pasa de una parte a otra. Como si le dijera: «Bien veo, que no son tus fuerzas para sustentar un pecado tan grave y pesado como tú hicistes, y que son menester otras más robustas espaldas que las tuyas; pues dámele acá, que yo le pasaré de las tuyas a otras que le lleven». —¿A dónde, Señor? —Pasaréle a las de tu hijo. —¿Quién es ése? Preguntó Cristo a los fariseos una vez; decidme: «¿Cuyo hijo es Cristo?» Dijéronle: de David, porque *de fructu ventris tui ponam super*

---

1 *Quitó Cristo la máscara.* Vid. la nota anterior, tomada de Covarrubias.

7 *matastes*, por matásteis, innecesario parece indicar el frecuente uso de estas formas verbales en los clásicos.

*sedem tuam.* Del fruto de tu vientre haré que haya uno que reine en tu casa para siempre.

Donde de paso es de notar que dice «del fruto de tu vientre», como quiera que eso es propio de la
5 mujer concebir en el vientre y no del varón; pero quiso dar a entender que Cristo no había de tener padre, sino madre sola de la sangre y casta de David, que le concibiese en sus entrañas. De manera que el hijo de David era Cristo; y por esto le llamaban
10 Jesús, hijo de David. Pues dice, Dios ha traspasado tu pecado a las espaldas de su hijo Cristo. —¿Cómo? —Que tu hijo morirá. —¿Por qué? —*Mortuus est propter delicta nostra*, dice san Pablo. Murió por nuestros pecados, como ya hemos dicho.

15 Y por esto creo, cuando San Mateo tomó la pluma para escribir la descendencia y linaje de Cristo, comenzó: «Libro de la generación de Jesucristo, hijo de David, hijo de Abraham», que puso primero, que era hijo de David, con ser mucho más antiguo
20 Abraham y estarle hecha mucho antes la promesa de Cristo que a David. Y esto, porque como la total razón de su venida era a quitar los pecados y tomarlos a cuestas, y de David se leen pecados y no de Abraham, y a David le dijeron: «El Señor ha
25 pasado o traspasado tu pecado», parece que quiso el Evangelio, o el Espíritu Santo por él, dar ese

---

4 · *como quiera*, equivalente a por más que, aunque, no obstante.
13 *Ad. Rom.*, 1.
16 Math., 1.

alegrón al mundo, como quien les dice: «Ya es venido el que prometió de tomar a cuestas el pecado de David» y, por consiguiente, el de todo el mundo. Y barrunto que, cuando los que a Cristo le demandaban socorro y misericordia, le llamaban Hijo de David, puesto que ellos no tan en particular cayesen en esta cuenta; empero, el Espíritu Santo que les movía las lenguas, esto pretendía, como quien le pide que cumpla su palabra y comience a tomar pecados ajenos a cuestas.

Bien sé que los santos doctores dan otras muchas razones, por qué San Mateo puso primero a Cristo por hijo de David que de Abraham, y todas son muy buenas; pero quiero yo poner una imaginación mía, que si no me engaña lo que a muchos, que los ciega el amor de sus propios hijos, que son sus obras y les parecen más hermosos que los hijos ajenos, podría ser la que más se allega a razón, y es ésta. Aunque a muchos reveló Dios el remedio de los hombres y de su pecado, y aun al mismo Adán allá en el Paraíso, cuando viendo a Eva dijo: *Hoc nunc os ex ossibus meis*, etc., este es hueso que ha

---

1 *alegrón*, se usa como sinónimo de una grande y súbita alegría. «*Alegrón*, es el rumor de buena nueua, incierta, y sin fundamento, que cuando sucede al reués es ocasión de mayor tristeza».Cov., *Tesoro*.

6 *puesto que*, equivalente a aunque; es frecuentísimo en los clásicos.

14 *imaginación*. Aquí está tomada como sinónimo de ocurrencia o invención propia.

salido de los míos y carne que se ha formado de la
mía; y sale San Pablo y contrapuntéalo, diciendo:
«Este es un gran sacramento, y muy escondido»;
pero yo lo entiendo de Cristo y de su Iglesia, y allí
5 le reveló a Adán la Encarnación del Hijo de Dios
y también a otros muchos santos antiguos; pero a
los que más claramente y más en particular les hizo
la promesa, fueron Abraham y David. Hubo entre
estos dos una diferencia y es, que a Abraham le
10 prometió a su Hijo antes que se circuncidase, como
lo dice en el capítulo XVII del *Génesis*, a donde le
promete de darle hijo a quien ha de bendecir, y que
en el que llama allí *Semen*, han de ser multiplicados
los pueblos y gentes; y donde quiera que está esta
15 palabra *Semen*, la entiende San Pablo de Cristo.
Esta promesa se la confirmó después en el capítulo
XXII del *Génesis* cuando quiso sacrificar a su hijo.
Pero al fin en el prepucio, esto es, antes que se circuncidase le hizo la promesa, y en señal que le ten-

---

2 *contrapuntéalo*. El *Diccionario de la Academia* no anota la significación especial que tiene aquí esta palabra, equivalente a *discan-
tar, parafrasear, interpretar*. En esta acepción la emplea el clásico
agustino P. Pedro de Vega en su *Declaración de los siete salmos peni-
tenciales*, libro admirable, de extraordinaria riqueza lexicográfica.
«San Gregorio sobre la palabra *Spiritus, contrapuntea* así». *Salmo 7*,
vers. 12, Dis. 1.—La causa de haberse omitido en el *Diccionario*
—dice el P. J. Mir— la significación figurada de *contrapuntear* es el
haberse descuidado el sentido metafórico de *contrapunto*, que suena
en la pluma de los clásicos *interpretación, discante, glosa*, tomada la
metáfora del contrapunto musical. Vid., *Rebusco de voces castizas*, 178.

15 *Ad Rom.*, 9. *Ad Gal.*, 3.

drá la palabra, le dió la circuncisión, que se hacía
sólo en el pueblo de los judíos.

A David la promesa se le hizo siendo circuncidado. Sale ahora el Apóstol y dice: «Digo que Jesucristo fué ministro de la circuncisión, esto es, vino por
apóstol, por doctor, por ministro de la gente circun-
cidada, que es decir más claro lo que respondió Cristo a los discípulos, cuando le rogaban por la Cananea:
«No soy enviado yo por mi persona a predicar ni
hacer milagros, sino a los judíos», que es lo que por
otra palabra dijo San Juan: *Salus ex judeis est*. La
salud, esto es, la redención es de los judíos, porque
a ellos se prometió. Dice más: «Digo que Cristo fué
ministro de la circuncisión», y esto por la verdad
de Dios, para sacarle verdadero en sus promesas,
pues así lo había prometido, para confirmar las promesas hechas a los padres, que en particular habemos dicho que fueron a Abraham y a David. Y digo
que las gentes, que es la gentilidad, que honren a
Dios por la misericordia que con ellos ha usado.

De suerte que es de ponderar mucho lo que da a
entender San Pablo, que dice que los gentiles honren y den gloria a Dios; porque usó de misericordia
con ellos, en darles parte de su redención; mas el
venir a los judíos y el ser ministro suyo por su misma persona no lo llama misericordia, ni dice que
alaben a Dios por ello. La razón de esto es porque

---

4  *Ad Rom.*, 15.
8  Math., 12.

venir a los judíos fué justicia, pero admitir a los gentiles fué misericordia.

Cierto está, que si el rey prometiese que daría la
encomienda de Segura al que en una justa hiciese
5 mejor golpe, y la corriese mejor Pedro, que el cumplir el rey su palabra no era liberalidad sino justicia.
El prometer la encomienda por cosa tan poca, fué
liberalidad; pero el cumplirlo y darla, esto ya fué
justicia. Así digo en nuestro propósito: el prometer
10 Dios de venir por su misma persona a predicar a los
judíos y a ser Hijo suyo, esto misericordia fué; pero
el cumplirlo después de prometido fué justicia. Y
San Pablo en este lugar habla de la venida, y no de
la promesa; y así no trata de que alaben ni den
15 honra a Dios por ello, aunque se le debe, por eso y
por todo. Mas, como el enviar los apóstoles a la
gentilidad y quererlos llamar a su Iglesia fué mera
misericordia, y no tenían promesa particular hecha
a alguna cabeza suya, mándales que engrandezcan
20 y honren a quien tan gran misericordia usó con
ellos. Y esta es la razón porque, cuando San Pedro
fué a enseñar a Cornelio la fe, el cual era gentil,
habiendo ido algunos de los judíos, ya fieles y convertidos, a acompañarle, dice en los *Hechos de los*
25 *Apóstoles* que, estando predicando San Pedro y

---

11  *justa*, «exercicio de la cauallería de los hombres de armas,
que propiamente se llaman cathaphraçtos, por ir todos armados de
punta en blanco, y tómase por fiesta y regozijo, como el juego de las
cañas lo es de los ginetes». Covarrubias.

27  *Act. Apost.*, 10.

oyéndole los gentiles, que se hallaron con Cornelio,
con gran atención, cayó de repente sobre ellos el
Espíritu Santo, y los fieles circuncidados, dice que
se espantaron de ver que la gracia de Dios se comu-
nicaba también en las otras naciones, para que los    5
oigan hablar diversas lenguas y magnificar a Dios.
Parecíales a éstos que Dios no había venido ni
muerto sino para solos ellos; y esta es la cuestión
de San Pablo y la larga disputa que tiene escribiendo a los romanos: «¿Por ventura, dice, es Dios sola-    10
mente Dios de los judíos? No por cierto, que también
lo es de los gentiles».

Ahora, pues, ya tenemos que a Abraham se le
hizo la promesa antes que se circuncidase y a David
después de circuncidado; tenemos también que a    15
los gentiles ninguna promesa se les había hecho, y
que Cristo vino particularmente a los judíos y como
de recudida a los gentiles. Hay dos pueblos, el uno
circuncidado, que es el de Israel; el otro no circuncidado, que es el de los gentiles; dos padres o ca-    20
bezas hay de la promesa, Abraham y David. A
Abraham se le hizo en el prepucio; ¿por qué? Esto
os lo dirá San Pablo: «Nuestro Abraham, decidme,
¿en qué fué justificado, en la circuncisión o en el

---

10    *Ad Rom.*, 3.

18    *de recudida*, modo adverbial, que significa de rebote, de re-
chazo.—«O por mejor decir, a esperar su contento y gozo *de recudida*». Cervantes.

23    *Ad Rom.*, 4.

prepucio?» Esto es, ¿cuándo le admitieron por justo,
antes o después de la circuncisión? Antes, porque
fuese padre de los que habían de creer, sin circun-
cidarse, que es el pueblo gentílico; y pues éstos
5 fueron los postreros llamados y Abraham fué su
padre, no se nombre primero en el linaje del Redentor. Y pues vino primero para la gente circunci-
dada, y a David se le hizo la promesa en la circuncisión, póngase primero y diga San Mateo: «Libro
10 de la genealogía de Jesucristo, hijo de David, hijo
de Abraham»; porque, pues San Mateo escribía su
Evangelio en hebreo y para los hebreos, viesen
en cabeza de linaje a aquel que, circuncidado como
ellos, había recibido la promesa de Cristo. Y aun
15 entiendo que no estaría mal dicho, que por esto
sólo se llama el Redentor Hijo de David y jamás de
Abraham.

2 *porque;* aquí tiene sentido final, para que.

## XXI

Volviendo pues a nuestro propósito, discretísima estuvo la Magdalena en llegar por las espaldas del Redentor y no por el rostro, como si dijera: «Yo, Señor, vengo con una pesada carga de pecados; no puedo con ellos, que pesan infinito; véislos aquí Señor, que los cargo sobre vuestras espaldas, llevadlos Vos y descargaréisme a mí». ¡Oh alma! llegad vos también y arrojad allí vuestra gran carga; poneos a las espaldas de vuestro buen Jesús, y allí conoceréis lo que son vuestros pecados; mirad aquellas espaldas azotadas y abiertas por vuestras maldades, mirad los azotes que allí se descargaron, por lo que vos debíades: *Et fui flagellatus tota die, et castigatio mea in matutinis.* Azotáronme, dice aquel mansísimo Cordero, todo el día, y castigábanme desde el amanecer. Y si queréis, alma, saber

---

3   *en llegar*. El infinitivo precedido de *en* equivale por regla general a un gerundio, como observa R. Marín en su prólogo al *Quijote*, «*En verte* bien quizto y favorecido de tan gran Rey, estimas tanto el favor de los otros Reyes como sus privados estimarían el favor de sus acemileros». Villalobos, *Declaración del Anfitrión*, cap. IX, *Biblioteca clásica*, Barcelona.

15   *Salm.* 71.

qué tantos azotes fueron, mirad lo que dice David:
*Multa flagella peccatoris*. Muchos azotes le darán al
pecador, y pues tomó la voz de todos los pecadores, ha de llevar los azotes de todos los pecadores.
5 Y por eso andaba siempre aparejado a disciplina,
como cuando un religioso comete una culpa, que le
manda el prelado aparejarse a disciplina, desnuda
las espaldas do las recibe.

Y ésta dicen los hebreos que era ceremonia en-
10 tre ellos, cuando hacían penitencia, andar así e ir
delante de Dios, como quien se muestra aparejado
para recibir los azotes y el castigo que merece, si
el Señor se lo quiere dar. Y por esto dice: *Quoniam ego in flagella paratus sum*. Yo siempre ando
15 aparejado a disciplina; y así era menester que an-
duviese quien tantos azotes y por tantos culpados
había de llevar. Porque, *Disciplina pacis nostræ
super eum, et livore ejus sanati sumus*. La disciplina
de nuestra paz sobre él, y con sus llagas e hincha-
20 zón y sangre sanamos. Díjolo galanamente Isaías:

---

1  *qué tantos*, es lo mismo que *cuántos*. «¿Queréis saber —dijo
un demonio— *qué tanta* verdad es esa? «Quevedo, *Sueños*, 127. Ed.
cit.— «Mas ¿en qué manera la puso, o *qué tanta* es y fué su dulce
humildad?» Fr. L, de León, *Nombres*, II, 73.

1  *Salm.*, 32.

8  *desnuda las espaldas*. Alude al castigo de disciplina pública,
que en las Constituciones de algunas Ordenes religiosas, estaba
estatuído, por la comisión de faltas gravísimas, pero que hoy no
existe ya, seguramente en ninguna.

13  *Salm.*, 37.

20  Isai., 53.

«La disciplina de nuestra paz sobre él». Cuando el padre está enojado con el hijuelo, azótalo y los azotes son los que hacen las amistades, y parece que el muchacho queda contento, con que ya ha pagado a su padre el enojo que le había hecho, y han hecho las paces. Así dice; «Los azotes que hicieron nuestras paces con el Padre cayeron sobre Él», que S. Pablo lo dijo más en romance: «Plugo, dice, al Padre, hacer un perdón general y reconciliar así todas las cosas, pacificando por su sangre y cruz al cielo con la tierra, y a Dios con los hombres».

---

8 *más en romance*. Hablar o decir en romance, es una locución muy frecuente que significa *explicarse con claridad* y *sin rodeos*, de modo que todos entiendan. «Y es que tengo cargo de pregonar los vinos, que en esta ciudad se venden, y en almonedas y cosas perdidas, acompañar a los que padecen persecuciones por justicia y declarar a bozes sus delitos pregonero, hablando en *buen romance*». *Lazarillo*, 256. «Que nos han llamado borrachos en *buen romance*». Citado por Cejador, ibid,

8 *Ad. Cor.*, 1.

## XXII

*Et stans retro secus pedes ejus, lacrymis cœpit rigare, etc.* Véis aquí, señores, donde se descubre un vehemente dolor que esta mujer llevaba de sus pecados. En pie estaba, y mujer era de buen cuerpo; y con todo eso fueron tantas las lágrimas, que bastaron a regar su pecho y ropa, en que caían, y a correr y llegar a los pies del Redentor. ¡Oh dolor incomparable el que esta penitente padecía! ¡Oh fuego poderoso el que le derretía el pecho, que le hacía salir el corazón deshecho, por los ojos!

Dice S. Gregorio: «Cuando yo considero la penitencia de María Magdalena, la lengua se me enmudece, las palabras se me atajan, el alma se me desmaya, solos los ojos se hacen fuentes». ¡Oh prodigio jamás oído! ¡Oh cosa nunca vista! ¿Quién tal creyera? Visto habemos muchas veces el cielo regar la tierra, pero ¿quién jamás oyó que la tierra riegue el cielo? Aquel que pisa el cielo, que se pasea

---

14 *se me atajan*, tomado en el sentido que trae el *Dicc.* de la *Acad.* de «cortar, impedir, detener el curso de alguna cosa».—«Ataxarse un hombre, es cortarse y correrse, no sabiendo que responder», Cov., *Tesoro.*

por sobre las estrellas, es llovido y regado con lágrimas de una pecadora: *Magna est velut mare contritio tua; quis medebitur tui?* Tan grande es el mar de tus ojos, como el del océano. ¡Oh María! ¿quien te consolará? ¿Cómo recibirás consuelo en medio de 5 tanto dolor? ¿Quién curará tu llaga y remediará tu llanto, desconsolada mujer? ¡Oh alma mía! acompañad vos a María y llorad más que ella, pues son más vuestros pecados que los suyos. Llegad a aquellas espaldas del Hijo de Dios, haced escudo de 10 ellas contra la ira del padre, que bien sabéis que si el esclavo ha ofendido a su señor y le ve airado, acójese a las espaldas del hijo y escúdase con ellas, para que el padre no ejecute el golpe, viendo a su hijo delante y puesto de por medio. ¡Oh qué buen 15 escudo vuestro Cristo en una Cruz! Atravesadle entre Dios y vos, y escondeos tras de sus espaldas, que no será posible que, cuando el Padre vea al Hijo en medio, los brazos extendidos hacia su Padre y que os ampara, que no detenga la mano para no 20 castigaros.

No se contenta con esto María, mas derruécase a los pies del Redentor, y ásese con ellos, comiénzalos a lavar con lágrimas, y a limpiar con sus cabellos y a besarlos y ungirlos. Decía en su corazón, porque 25 tenía ahogadas las palabras en el pecho: «¡Oh pies

---

2  *Thre.*, 2.
16  *atravesadle*, equivale a interponedle.

sagrados, que vinistes del cielo por buscarme!
¿quién me dará que muera aquí asida con vosotros?
¡Oh pies enlodados y cansados en mi remedio!
¿cuántos pasos habéis dado en mi busca y yo des-
5 venturada huyendo de vosotros, por no ser hallada?
¡Pies de mi remedio! ¿y será posible que me que-
rréis perdonar? ¡Pies divinos! Qué os habéis de ver
enclavados por mí, y es verdad que os tengo entre
mis manos, y que lo sufrís y que me esperáis? ¿Qué
10 no huís de tan abominable monstruo como tenéis
delante?»

¡Oh Maestro dulcísimo! ya me veo a tus pies; he
aquí la esclava huída que tanto tiempo buscaste; vén-
gate, oh buen Señor, en esta malvada mujer. ¿Pe-
15 qué, Señor, y son más mis pecados que las arenas
del mar, no soy digna de mirar al cielo por la muchedumbre de mis maldades. *Putruerunt et corrup-
tæ sunt cicatrices meæ a facie insipientiæ meæ.* Mis
llagas se han podrido, y se corrompieron con mis
20 torpezas, y yo siempre desventurada y necia, más
y más pecando. Miserable soy tornada, y el peso

---

1 *vinistes*, por vinisteis.

9 *sufrir*, en su acepción corriente de *tolerar*, *aguantar*. «Porque
¿dónde se ha de *sufrir* que un caballero andante tan famoso como
vuesa merced se vuelva loco..? *Quijote*, II, 318». «Parlera y vagabun-
da, y que no *sufre* estar quieta, ni sabe tener los pies en su casa, ya
en la puerta, ya en la ventana ya en la plaza, ya en los cantones de la
encrucijada, y tiende por donde quiera sus lazos». Fr. L. de León,
*Perfecta Casada*, 105, ed. Pontevedra 1906; reproducción del texto
de la de 1786.

17 *Sal*. 23.

de mis maldades me trae quebrantada, si tú, poderoso Señor, no me descargas. ¿A dónde están, Señor, tus antiguas misericordias? ¿A dónde aquel piélago de clemencia de que antiguamente usabas? *Numquid obliciseris misereri, Deus? Aut continebis in ira tua misericordias tuas?* ¿Por ventura, Dios mío, se te ha olvidado el oficio de hacer misericordias, y la detendrá tu ira para que no llegue tu clemencia hasta esta pecadora? Soylo, Señor, bien lo sabes tú, y bien lo sé yo. Pero pecador era el que te llamaba y decía: «Dios, sé propicio a este pecador». Pues tú, por tu sagrada boca dijiste que fué oído y quedó justificado, óyeme a mí que también te llamo, y justifícame con tu gracia. Tú, oh buen Jesús, nos enseñaste a orar y decir: «Perdónanos, Señor, nuestras deudas». Pues ¿será posible que teniendo a tus pies la deudora que te demanda perdón, no la querrás oir ni perdonar? Al de los diez mil talentos perdonaste toda la deuda, por sólo que te lo rogó; perdona pues, ¡oh dulce Jesús!, a esta gran pecadora que, postrada a tus pies, te lo suplica. No me puedes negar, Dios mío, lo que te suplico. Tu voluntad es la que deseo; que me justifique te

---

4 *Sal.*, 88.
6 *Sal.*, 76.
12 Luc., 18.
15 Math., 6.
19 *por sólo que*, equivale a sólo porque te lo rogó, que es la construcción recta.

pido: *Et hæc est voluntas Dei, sanctificatio nostra.* La
voluntad de Dios es nuestra justificación. Tu dices
que viniste a hacer la voluntad de Dios; pues cumple, Señor, con su voluntad y con tu oficio. No te
5 pido, buen Jesús, sino tu deleite; «este, dices, que
es estar con los hijos de los hombres»; pues ténme
siempre contigo y estáte, Señor, conmigo, para que
tu regalo dure más tiempo. ¡Oh inestimable misericordia! ¡oh inefable caridad! ¡oh amor suavísimo!
10 mira que eres ajeno, mira que eres esclavo de tu
misericordia, y como a tal te trata.

El señorío del dueño sobre su esclavo es para
bien; y mal tratarle para ahorcarle para atormentar-
le y para quitarle la vida. Dime, pues, Señor benig-
15 nísimo, ¿quién te ha de atar sino tu misericordia?
¿Quién te ha de poner en la cruz? ¿Quién te ha de
derramar la sangre y quitar la vida, sino esta gracia
santa de tu misericordia que tiene entero mando en
ti? *Propter nimiam charitatem suam, qua dilexit nos*
20 *Deus, cum essemus mortui peccatis convivificavit nos in*
*Christo.* Por aquel exceso de caridad que nos tienes
y con que nos amas, quisites antes morir que dejar-
nos perder. Pues muévate, Señor, esa misma a que
me perdones a mí, como te mueve a morir por mí.

---

1   *1 Thes:*, 4.

10   *que eres ajeno*, es decir, que no te perteneces o no te debes a
ti mismo.

11   *y como a tal te trata*, equivale a decir: pues condúcete como
quien eres.

19   *Ad Ephes.* 2, 3.

Dádote me ha tu Padre, mío eres ya; pues dame lo que es mío, y dáteme a ti que eres todo mío. Diérontenos por medicina para nuestra salvación, por sacrificio para nuestra reconciliación, por sacramento para nuestra santificación, por amparo para nuestra defensión, por abogado para nuestra alegación, por precio para nuestra redención, por premio para nuestra glorificación. Pues si eres medicina, sana esta tu enferma; si eres nuestro sacrificio, reconcilíame con tu Padre; si eres nuestro sacramento, santifícame y seré santa; si eres nuestro amparo, defiéndeme de mis enemigos y de mí misma; si eres nuestro abogado, alega en mí favor delante de tu Padre, porque no vengan mis enemigos y sea yo confundida; si eres nuestro precio, paga mis deudas, porque no sea yo entregada en la cárcel perpetua del infierno, y si eres nuestro premio, dame tú el mérito para que merezca la gloria de gozarte. Mira, Señor de las misericordias, que si tú no quitas mis miserias, por demás habrás aparejado en buscar a esta pecadora. Pues, *¿quæ utilitas in sanguine meo, dum descendo in corruptionem?* ¿Qué provecho te viene a ti, Señor, de mi sangre, y de que yo baje al abismo del infierno? *Quoniam non infernus confitebitu tibi, neque mors laudabit te, neque omnes qui descendunt in lacum.* No te confesará el

20 *por demás habrás aparejado*, es decir, en *vano* habrás dispuesto, prevenido el buscar, etc.

24 *Rut.*, 3.

infierno, ni te alabará la muerté, ni los que descien-
den en el espantoso lago del abismo. Antes, Señor,
*Vivens, vivens confitebitur tibi, sicut et ego hodie.* Los
vivos, los vivos, Señor, son los que te alabarán,
5  como yo lo haré ahora, y de los pecadores sacarás,
Dios mío, tu alabanza; que poca le viene al médico
de la salud de los sanos, sino de la cura de los enfermos. ¡Oh fuente de misericordia! lava mis miserias, no consientas, Señor, que se pierda la que se
10 acoge al amparo de tu sombra.

Allá a Rut, que se acogió al tabernáculo de Booz,
con ir harta y bien cenada, la recibió por su esposa.
Pues mira, regalo de mi alma, que es uno de tus
abuelos; no me deseches a mí, que hambrienta de
15 tu gracia he huído al sagrario de tu misericordia.
No quiero yo, hermosura de los ángeles, resplandor de la gloria, que me recibas por esposa como a
Rut, mas sólo que me admitas por esclava, como
Agar. ¿Qué bien te vendrá a ti, ¡oh espejo de los
20 santos! de dejarme abrasar en los infiernos? ¿Tú no
aborreces tanto el pecado, que darás la vida y mo-
rirás por matarlo? Pues quita, Señor, y mata los
míos y no verás lo que tanto ofende a tus ojos. ¡Oh
socorro único de este alma desamparada! socórre-

---

11   *allá;* con mucha frecuencia emplea Malón de Chaide este adverbio en forma indefinida. «Como digo hay pocos destos; pero
buenos y de entretenimiento, si *allá* cupiera». Quevedo, *Sueños*, 69.

19   *como Agar*, se lee en la ed. *princeps*. Es frecuente en Malón de
Chaide omitir la preposición *a*, tratándose de personas.

me, pues te llamo; detén la corrida que llevo, con
que me voy a despeñar en el fuego del infierno.
Detén, detén, Señor, la furia de mis pecados; manda a la tempestad que cese y a los vientos que no
soplen, y di a las ondas de mi perdición que estén  5
quedas, y luego se hará gran bonanza en mi alma.
Ayer, ¡oh vida de los hombres!, dijiste a los que llevaban las andas de aquel mozo difunto que se detu-
viesen, y se pararon y le resucitaste. Manda, pues,
ahora a mis vicios, que me llevan a la sepultura del  10
infierno, que se detengan y lo harán; y da, Rey
mío, un grito a mi alma y se levantará del ataúd de
mis pecados. ¿Qué te haré, solo descanso mío? ¿Cómo
te podré mover a misericordia, sino mostrándote
mi miseria? Heme aquí rendida, piadoso Juez mío;  15
he aquí tu enemiga que se te entra por las puertas
de tu clemencia. He aquí la que te ha hecho guerra,
la que te ha derrocado mil almas en el infierno. Yo,
ingrata, mala, desconocida, yéndome por los anchos
prados del pecado, corría a rienda suelta tras mis  20
contentos, como caballo sin freno, sin curar de que

---

1   *corrida*, en su acepción de marcha precipitada.
1   *llevo*. En otras ediciones leo *lleva*.
13  *solo* por único.
21  *sin curar*, sin atender, sin cuidarse.

«No *curemos* de saber
Lo de aquel siglo pasado
Qué fué dello.»

J. Manrique, *Coplas.*

me llamabas y que ibas en pos de mí, y yo huyendo siempre de ti. ¡Oh cuántos días y meses y años
me he revolcado en mis torpezas, contenta con el
cieno de mis viles y asquerosos deleites! ¡Cuántas
5 veces comía y me deseaba hartar del manjar que
comían los puercos, que son los demonios, hecha
mucho peor que el hijo pródigo; y lo peor es que
allí estaba yo muy contenta! Dejé tu casa y compañía, ¡oh hermosura eterna!, dejé la conversación de
10 los ángeles, apartéme de tu gracia, perdí el regalo
que gozan tus hijos, y, siéndolo yo tuya, no mirando
a ti que eres mi Padre, ni a lo que a mi sangre y
linaje debía, como vil y mala ramera y adúltera del
demonio, te afrenté a ti, ¡oh Padre bonísimo!, injurié
15 a mis hermanos los ángeles, destruíme a mí, y per-
díte a ti. Confiésome, ¡oh solo descanso mío!, y des-
cúbrote yo todas mis llagas, para que tú me apli-
ques la medicina. Delante de ti me acuso, Señor,
Dios mío, y no lo callaré, mas diré mis flaquezas en
20 tus oídos; quizá tendrás por bien de haber lástima
de mí.

Y lo que ante ti digo, Señor Dios, es afrenta mía
grandísima, mas dirélo para gloria tuya. Cegada me
ha tenido mi enemigo hasta ahora, que ni te cono-
25 cía a ti ni me vía a mí. Verdaderamente, cuando el
demonio engañó a nuestros padres, aunque les min-
tió en parte, pero creo que no en todo. «Serán, les

19  *mas*, adversativa, antes bien, sino que.
25  *vía*, por veía.

dijo vuestros ojos abiertos, si coméis de la fruta vedada». Cierto es que abiertos tenían los ojos, bien
se vían a sí mismos y a la serpiente y a cuanto estaba en el paraíso. Tampoco eran nuestros padres
tan ignorantes que no entendiesen que el demonio          5
no podía hablar de los ojos corporales, pues los tenían abiertos; y grandísima verdad les dijo, aunque
no en el sentido que ellos lo entendieron. ¡Oh qué
ciego está un hombre en algunas cosas, antes del
pecado! ¡Qué lejos de saber mal alguno! No ve in-        10
fierno, no se acuerda que hay fuego allá; no teme
pena, porque no tiene culpa; no ve que hay juez,
porque sólo conoce padre; nada le espanta, no ve
pecado, no sabe que hay deleite, anda seguro y
confiado; sólo mira al cielo, sólo ve la gloria de los   15
bienaventurados; sólo conoce a su Padre celestial,
que le regala y le trata como a hijo; con él habla,
en él piensa, a él ama, para aquello tiene ojos de
lince. Ciego al mundo, no ve las vidas ajenas, no
juzga de nadie, a todos ama, de todos dice bien, todo    20
cuanto ve le parece bueno, todo se le torna luz. Así
como el que ha mirado al sol, que dondequiera que
vuelve los ojos le parece que ve soles, así también
el bueno, que tiene hechos los ojos a la luz en que
andan y viven los hijos de Dios, todo lo que miran       25
se les hace luz, y metidos dentro de las tinieblas
de este mundo, como tienen los ojos encandilados

27 *encandilados;* como queda ya dicho, sinónimo de deslum-
brados.

con el resplandor de la virtud, no ven nada de lo
que hay acá.

Y por esto los pecadores y los hijos de las tinieblas los engañan como cuando algunos están en una
5 pieza, no muy clara, que ven cuanto está dentro y
dan con los dedos en los ojos al que viene del sol,
y no los ve. Y por eso, Señor, dijiste por San Lucas: *Prudentiores sunt filii hujus sœculi filiis lucis in
generatione sua.* Más prudentes, más astutos, más
10 diestros son para sus negocios los hijos de este siglo, que los de la luz; porque como no ven nada,
en lo escuro de los tratos y negocios mundanos,
fácilmente los engañan los malos, que tienen hechos
los ojos a las tinieblas del mundo. Así que, aunque
15 tienen ojos como los tenía Adán, sólo los tienen
para lo bueno. Mas si tu gracia los desampara alguna vez, si tú escondes la luz de tu rostro y los dejas
de la mano, ¡oh cómo se les abren entonces y
qué de cosas ven que no vían! Ya ven infier-

---

5   *una pieza;* entre las distintas acepciones de este vocablo anota el *Dicc. de la Acad.* la de «Cualquiera sala o aposento de una
casa». Es término que en América del Sur, particularmente la Ar-
gentina, conserva su vigor clásico.

8   Luc., 16.

19   *qué de cosas;* frecuentísimo en los clásicos y aun en el lenguaje corriente esta forma ponderativa de decir; innecesario parece
anotar que equivale a cuantas cosas.

«Jesús *qué dello* que habláis»

Tirso de Molina, *El Verg. en Pal.*, 60.

«¡Y qué de ellas, qué multitud de ellas, mijores que yo, sé que
tomaran este lugar buena gana, y diómelo el Señor a mí que tan
mal lo merezco». Sta. Teresa *Camino de perfección*, I, 84.

no, ya los calienta aquel espantoso fuego, ya los espanta la pena, porque se ven con la culpa, ya ven el juez airado, que los amenaza. Todo les espanta; ya ven el pecado, ya conocen el mal que les trajo su deleite; andan medrosos, desconfiados, de todo se temen. ¡Oh qué de cosas se les descubren a la hora que antes no las vían y les estaban escondidas!

Luego verdad les dijo en esta parte aquel padre de mentiras, que se les abrirían los ojos y sabrían el bien que perdieron y el mal que ganaron; y de aquí tomó origen el refrán que decimos, *que el bien no es conocido hasta que es perdido.* Esto, Dios mío, sélo yo de experiencia y muy a costa mía. Amábate otro tiempo mi alma; en ti tenía todo regalo y contento, a ti sólo te deseaba, tú eras la fuente de su vida; sin ti ni tenía bien, ni le quería; en ti gastaba sus pensamientos, contigo tenía sus ratos y pasaba sus conversaciones. No sabía entonces de mal, y porque un contrario se conoce por su contrario, apenas tampoco conocía este mi bien que tenía y de que entonces gozaba. Pequé ¡ay desventurada de mí!; abriéronseme los ojos, comencé a perder de vista esta mi gloria, descubrí mi perdición, vi mi caída en un infierno, apartada de ti, Dios mío, y

---

1   *ya ven infierno;* sin artículo y en forma indefinida. Así en la ed. *princeps*.

12   Correas anota en la misma forma este refrán, que también suele formularse, «el bien no se conoce hasta que se pierde», que es o mismo. Pág. 173.

hecha esclava de mis pecados. Entonces comencé a
ver lo que antes no vía; parecíame el vicio digno
de ser amado, las tinieblas se me antojaban luz;
amaba yo, cuitada, lo que había de aborrecer; mo-
5 ría por alcanzar lo que me mataba. Ya el cielo me
parecía feo y el sol sin hermosura; sólo me agra-
daban las criaturas y me deleitaban las cosas de la
tierra. La hermosura me parecía que estaba en el
cieno de mis torpezas y abominables pecados, y
10 esta sola buscaba y dejábate a ti, belleza infinita.
Comía y bebía de la fuente de los deleites humanos, y parecíale a esta mala sierva tuya que no
había otra gloria que se pudiese desear. Envolvíame
más y más y enredábame en la liga de mis malda-
15 des, y para mi mal tenía ojos de lince. Al fin, en
medio de mi perdición, contenta con mi daño, me
espantaba cómo antes no había caído en la cuenta
de aquella felicidad ponzoñosa, de que entonces
gozaba, y pesábame grandemente por el tiempo
20 que sin ella había pasado.

¿Pues qué hacías tú, ¡oh bien de mi alma! al tiempo que esta perdida oveja tuya andaba paciendo la
mala yerba en los ejidos del demonio, cuando bebía
las turbias aguas del río de la muerte? Dábasme vo-
25 ces, ¡oh buen Pastor mío!, y decías: *Quid tibi vis in
via Ægipti, ut bibas aquam turbidam? et quid tibi
cum via Assiriorum, ut bibas aquam fluminis?* ¿Qué

25  Jere., 2.

buscas, alma perdida, camino de Egipto? ¿Dónde
vas, que beben de balsas y es el agua turbia que te
matará? ¿Qué tienes tú que ver con el camino de los
asirios, que tienen malos ríos y peores aguas? ¡Oh
alma!, ¿por qué vas camino de tinieblas, que eso     5
quiere decir Egipto, camino donde no hallarás sino
angustias, que también significa esto? Mira que no
hallarás contentos verdaderos, sino aguas turbias y
cenegales de pecados. ¿Y por qué te vas por el camino de los asirios, de los pecadores, donde no ha-     10
llarás sino las aguas del Eufrates, que riega a Babilonia, que son los deleites mundanos con que se
aumenta la ciudad de los pecadores? *Onager assue-
tus in solitudine, in desiderio animæ suæ atraxit
ventum amoris sui: nullus avertet eam.* ¡Oh más     15
bruta que el asno salvaje torpe, que de lejos huele
el aire de sus amores, esto es, de la hembra, y va
con ímpetu sin haber quien le detenga!. Así sigues
tú tras tus contentos, y te vas tras las ocasiones a
rienda suelta: *Prohibe pedem tuum a nuditate, et gut-*     20
*tur tuum a siti.* ¡Guarda, alma, que el camino es

---

9 *cenegales,* nombre anticuado, por cenagales que es como lo
traen otras ediciones, Valencia, Barcelona, Rivad.

13 Jere., 2.

21 *guarda,* equivale a una interjección: se usa como voz de aler-
ta de temor o recelo, con que se avisa o previene a alguien de un
daño o mal que le amenaza. En el *Dicc. de la Acad.* de 1881 figuraba
este término, con la acepción comunísima que aquí tiene, pero en
la ed. de 1914 está omitida; ¿por qué? ¿Quién no conoce la famosa
frase del prólogo de la 2.ª parte del *Quijote:* «Este es podenco
/guarda/», qué bastaba para autorizar la interjección, si es que no es-
tuviera sancionada por el uso popular constante.

áspero y espinoso, y llevas desnudas las plantas!
¡Vuelve, vuelve a mí, no te me vayas, que te ahoga-
rás de sed!

Así me dabas grandes voces y me llamabas, Dios
5 mío, Rey mío, misericordia mía; mas yo, cuitada,
no curaba de responderte, alejándome siempre más
de ti. Tú, amador de mi alma, no cansado por eso,
me rogabas: *Revertere, virgo Israel, revertere ad civi-
tates tuas istas. Usquequo deliciis dissolveris, filia*
10 *vaga? Quia creavit Dominus novum super terram: fœ-
mina circumdabit virum.* Vuelve, vuelve, hija de Israel,
vuélvete a tus ciudades, hija del fuerte, del que ve a
Dios; mira que son tuyas y para ti; vuélvete a Jerusalén la celestial, a la ciudad del cielo, a tus vecinos
15 los ángeles, que solían ser; mira, alma, que te desean, que te llaman, que te ruegan, que te esperan.
¿Hasta cuándo te irás tras los deleites, hija vaga-
bunda? Pues el Señor hará una cosa nueva, jamás
oída, que una hembra cerque a un varón.

20 He aquí, Dios mío, he aquí tu misericordia que,
aun en medio de mi olvido y de tu ofensa, me llamaba y me despertaba; pues ya por tu sola bondad
me vuelvo a buscarte; ya se cumple este novedad
que dices. Cosa nueva, por cierto, pues las mujeres
25 son las servidas, las requeridas; los varones son los
que las sirven, las festejan, las requieren y dan vueltas, y los que les pasean la calle y les rondan la

8  Jere., 31.

casa. Cosa nueva sería que la mujer recuestase al
hombre, lo requiriese y le ruase la calle, que esto
es cercar la mujer al varón. Pues ¡oh Varón perfec-
tísimo!, tú que por mí te hiciste hombre, he aquí
cumplida esta novedad. Yo soy la mujer que te    5
busco, yo la que te requiero, te rondo la casa de
Simón, te cerco y abrazo los pies, porque no te me
vayas; no me deseches de tu presencia, Señor, déja-
me morir aquí a tus pies, para que encamine los
míos *in viam pacis*.    10

1  *recuestase.* Está usada esta expresión en un sentido, en parte anticuado, de «acariciar, atraer con el halago o la dulzura de
amante». *Dicc. Acad.* El sentido corriente es de demandar o reque-
rir de amores: «Desde que un cortesano se levanta hasta que se
acuesta, no ocupa en otra cosa el tiempo sino en ir a palacio, preguntar nuevas, ruar calles, escrevir cartas,... banquetear en huertas
halagar a los porteros, mudar amistades, remudar mesas, hablar con
alcahuetas, *requestar* damas y aun preguntar por hermosas». Guev.,
*Menosprecio* etc., 151. «Y claro es que el que nos ama y nos *recuesta*
y nos solicita y nos busca, y nos beneficia y nos allega a sí, y nos
abraça con tan increíble y no oída afficción...» Fr. L. de León, *Nombres*, III, 128.

## XXIII

Lavaba Magdalena los pies del Redentor con sus
lágrimas, alimpiábalos con los cabellos, besábalos,
y ungíalos, y en todo este tiempo no se oía palabra
5 de su boca, sólo se derrite en fuego de amor; y así
como un leño verde, puesto al fuego, en calentán-
dose por esta parte, comienza a destilar el humor
que tiene por la otra, así, en calentando el amor
divino aquel corazón verde y mundano de la Mag-
10 dalena, comienza a salir el humor por sus ojos, en
tanta abundancia que, *stans retro secus pedes etc.*,
que aun estando en pie, bastó para regar los del
Redentor. Y es de suerte, que de desmayada de
amor da consigo a los pies del Redentor.

15 Pues, María, ¿todo ha de ser llorar? ¿No hablaría-
des algo? ¿No diríades alguna palabra? Calla María,
y sólo hablan los ojos y el corazón. Pues vos, Re-

---

2 Lucæ, 1.

3 *alimpiábalos*. De uso continuo en esta forma durante el perío-
do clásico. «Y esta criada, queriendo *alimpiar* la caña». Fr. L. de
Granada, *Introducción al Símbolo de la Fe*, II, XIV.

7 *esta parte;* en realidad debía decir por una parte.

15 *Pues;* aquí equivale a la adversativa *pero.*

dentor de la vida, ¿no le diríades algo? Mirá que
esa triste mujer se convertirá en fuente, como otra
Biblis o Aretusa. Mirá, Señor, que aquellas lágrimas
ya no son de agua, sino de fuego; mirá que es el
humor vital que sale por los ojos, y deben de salir 5
a vueltas de las entrañas derretidas con el fuego de
amor que le abrasa el pecho. ¿Queréis, buen Dios,
que se le acabe la vida y se despida el alma de su
cuerpo antes que Vos la despidáis de vuestros pies?

---

1  *le;* nótese la propiedad con que está usado clásicamente el *le*
dativo femenino que, después de largas discusiones, aún no cabe
en la cabeza de algunos martirizadores del idioma.

3  *Biblis* y *Aretusa*. El P. M. de Chaide sigue el gusto de la época de traer personajes y citas mitológicos, aun al tratar de cuestiones religiosas o ascéticas.—Biblis, según la referencia mitológica, fué
hija de Mitilo y de Idotea. Enamorada de su hermano Camo, le persiguió por diversas comarcas hasta que, rendida de fatiga, fué trans-
formada en fuente.

Aretusa, una de las Nereidas y también ninfa de la fuente que
llevó su nombre, y que estaba en la isla de Ortygia, cerca de Si-
racusa.

## XXIV

¡Oh lágrimas derramadas por Dios y cuánto va-
léis y cuánto podéis y cuánto acabáis! Acabáis cosas que al parecer humano son imposibles. Es el
5  agua de la piscina que sanaba de todas las enfermedades. Mas aquella de Jerusalén sanaba a uno solo,
vosotras sanáis a cuantos lloran como deben.

¿Quién dió la salud a María sino el baño que hizo
de vosotras con que lavó los pies de Cristo y des-
10  enlodó los lodos de su conciencia? ¿Quién vió salir
de Jerusalén al pueblo de los judíos? ¿Quién vió llevar a Babilonia los pocos que habían quedado vivos
y escapado de las llamas que abrasaron aquel famoso templo y soberbias torres y suntuosas casas
15  de aquella miserable ciudad, ejemplo del furor y
saña del airado Dios del cielo? Iban atadas las manos blandas de las doncellas tiernas, hinchados con

---

3  *acabáis*; usado en la acepción de lograr, perfeccionar o conseguir de: ‹Y por la misma manera, Dios en la honestidad de la mu-
ier, que es como la tabla, la cual presupone por hecha y derecha,
añade ricos colores de virtud, todas aquellas que son necesarias para
*acabar* una tán hermosa pintura›. Fr. L. de León, *Perfecta Casada*,
39. Ed. cit. «Padre, *acaaba* nos de Christo alguna remissión». G. de
Berceo, *Santo Domingo*, 771.

los ásperos y apretados ñudos de los cordeles, des-
calzos los delicados pies, regando con la roja sangre el suelo y senda que guiaba a Babilonia; los
inocentes niños asidos a las ropas y faldas de las
desventuradas madres, eran compelidos a seguir los 5
largos pasos del crudo vencedor y a quedar tendidos en aquellos campos, para ser comidos de las
fieras y de los perros; los viejos ancianos, reservados por algún hado cruel para ver tan desastrados
casos, iban atadas las sagradas gargantas, ahogados 10
del dolor, dando mortales suspiros; quedaban dego-
llados los más valientes y toda la flor y fuerza de su
ejército, y los sacerdotes muertos, porque en medio
de las sagradas víctimas que ofrecían a Dios en su
santo templo, llegando a deshora el bárbaro enemi- 15
go, no respetando al cielo, ni a las venerables canas, ni a las consagradas estolas con que estaban
adornados, los degollaban entre los sacrificios, salía
la sangre justa a mezclarse con la de los novillos que
sacrificaban, por aplacar la gran majestad de Dios 20
airado. Iban pues cautivos aquellos desdichados, y
puesto que con el miedo que llevaban no osaban
hablar palabra, porque ni aun para quejarse se les

---

1  *ñudos* por nudos. Aún se dice con frecuencia en el lenguaje
popular *ñudos*.

10  *casos*, sinónimo de sucesos.

17  *ni a las venerables canas.* Como era usual en los clásicos con-
temporáneos y aún posteriores al autor, como Cervantes, construye
con preposición el complemento directo de cosa.

22  *puesto que*, aunque, *Passim.*

daba licencia, a lo menos los ojos que, como tan
libres, no podían ser impedidos, hacían su oficio derramando lágrimas y regando con ellas los caminos
y campos por donde pasaban.

5      Dice la Escritura Sagrada que iban y lloraban y
sembraban su semilla, y llama semilla a las lágrimas; de suerte que iban sembrando lágrimas que
verlos quebraban el corazón. Eran la semilla del
infinito gozo que habían de coger del cautiverio:
10  *Venientes autem venient cum exultatione*, dice el
salmo. Es verdad que iban llorando y sembrando
lágrimas, pero volverán con gozo y regocijo, tra-
yendo los manojos que habrán nacido de las lágrimas que sembraron.

15      Y porque dos salmos nos dicen así la cautividad
y lágrimas que derramaron y sembraron, como también la vuelta alegre y el grande y copioso fruto
que de ellas cogieron, quiero ponerlos aquí entrambos, primero el que habla de su cautiverio y de la
20  destrucción de su ciudad y templo, y después el
que pinta la vuelta que hicieron, cuando por mandamiento de Ciro y Darío volvieron a reedificar el
templo de Dios y a poblar y habitar otra vez la
ciudad asolada. Dice pues así el primero:

---

8   *que verlos;* frase elíptica, equivalente a decir, de tal modo que
con verlos o al verlos, etc.

11   *Salm.*, 125.

22   *mandamiento.* En otras ediciones se lee *mandato.*

## SALM. 136

### *Super flumina Babilonis*

Ya de Asia la cabeza
señora de las gentes,
del gran Dios de Israel sacra morada,                    5
deshecha pieza a pieza,
muertos los más valientes,
pasados por los filos de la espada,
quedaba derrocada;
sus torres por el suelo,                                 10
y sus soberbias casas
ardiendo en vivas brasas,
subía el humo y llamas hasta el cielo.
Y las tiernas doncellas
con su llanto apagaban parte dellas.                     15
    Las madres miserables
pasadas de mil hierros,
con sus dulces hijuelos abrazadas,
aquellos intratables
en presa de sus perros                                   20
las daban, a donde eran sepultadas.
Las damas regaladas,
el blanco pie por tierra
de su sangre esmaltado,
iban como ganado,                                        25
siguiendo al vencedor por valle o sierra;
el brocado y arreo
trocado en un cilicio negro y feo.

---

3   Al través de esta diluída paráfrasis no es fácil reconocer toda
la belleza insuperable del original hebreo, que tan sobria y bella-
mente supo trasladar Fr. L. de León al idioma patrio; sin embargo,
no cabe negar que abunda en bellezas descriptivas y verdaderos
aciertos de expresión.

El bárbaro enemigo
con un crudo semblante
lleva puesta la espada a sus gargantas.
No reconoce amigo;
5     los viejos van delante,
atadas en prisión las manos santas;
y desnudas las plantas,
llagadas con abrojos,
caminaban cautivos
10    los que quedaron vivos,
regando con la fuente de sus ojos
el áspera carrera
que guía a Babilonia y su ribera.
    Pues ya que se apartaban
15    de su ciudad sagrada
para no poder más tornar a vella,
los llantos renovaban,
viéndola despoblada,
desnuda de su gloria antigua y bella;
20    vuelto el rostro a ella,
levantados los ojos,
suspenso el sentimiento,
robado el pensamiento,
con el mortal dolor de sus enojos;
25    ya que se despedían,
con voz ronca mortal así decían:
«¡Oh patria lagrimosa!
¡Oh templo sacrosanto,
del espantoso Dios alta morada!
30    ¿Qué es de la victoriosa
mano, que pudo tanto
domando mil naciones a tu espada?

---

12   *el áspera.* Era muy corriente en los clásicos esta construcción,
que se juzgaba lícita. *El amarga memoria* escribe Garcilaso en el
Soneto XIX. Posteriormente sólo se admitió el *el* con femenino en
los casos en que siguiese al artículo una palabra que comenzase con
*a* acentuada. Vid. Menéndez Pidal, *Gramática Histórica*, 100, 2.

Agora derrocada
te vemos por el suelo,
y tus soberbias puertas
en negro carbón vueltas,
castigo del airado Dios del cielo.                                    5
¡Oh madre Sión triste!
cautivos van los hijos que pariste.»
    «¡Adiós monte de gloria!
¡Adiós templo sagrado!
¡Adiós, Jerusalén, sola, desierta!                                   10
¡Olvida la memoria
del contento pasado,
y ya de hoy más al bien cierra la puerta!
Y pues es cosa cierta,
que nuestros tristes ojos                                            15
no volverán a verte,
¡adiós hasta la muerte!
que el enemigo apaña los despojos,
y manda que partamos
a Babilonia a do sin ti muramos.»                                    20
    «De lejos descubrimos
en un llano espacioso
a la gran Babilonia levantada;
sus altos muros vimos,
y el alcázar costoso                                                 25
do yace Semiramis sepultada,
de torres rodeada,

---

4   *vueltas*, por trocadas o convertidas.
13  *de hoy más*, de hoy en adelante.

              «¡Ay, quién podrá sanarme!
          Acaba de entregarte ya de vero;
          No quieras embiarme
          *De oy más* ya mensajero
          Que no saben decirme lo que quiero.»
                        S. J. de la Cruz, *Cántico Espiritual*,
                        10. Ed. Martínez Burgos, 1924.

que amenazan al cielo,
y de Eufrates ceñida,
de quien es defendida,
que con sus aguas riega el fértil suelo;
5    y vimos la ribera,
cual la pinta la dulce primavera.»
    «Cansados del camino,
sobre la alta corriente,
con una ansia mortal nos asentamos:
10    llorando el hado indino
de nuestro suelo y gente,
de ti ¡madre Sión! nos acordamos;
y al alto cielo alzamos
los ojos a miralle,
15    mas ¡ay! que al fin no era
aquella la ribera,
ni aquel el sol, ni cielo, tierra o valle,
ni aquel el claro día,
que en ti, Jerusalén, resplandecía.»
20    «Las harpas y vihuela,
los instrumentos santos
a tu gran majestad ¡Dios! consagrados,
¿quién hay que no se duela?
pues que con nuestros llantos
25    están del sentimiento destemplados,
y en los saíces colgados,
oyen de nuestros pechos
otra música, llena
de lágrimas y pena,
30    con instrumentos de los ojos hechos:

---

26  *salces*, igual que sauces.

    ...«Todos los instrumentos
    de música acordada, y dulces cantos
    de los *salces* más altos
    colgamos de consuelo y gozo faltos.»

Fr. L. de León, *Poesías*, 422.

y las voces que suenan
suspiros son, que a Babilonia atruenan.»
     «A mirar nos salían
los bárbaros paganos,
y burlando de nuestra dura suerte,                    5
palabras nos decían
los fieros inhumanos,
mucho más dolorosas que la muerte:
Cantadnos de la suerte
que en Sión, la famosa,                               10
cantábades canciones
con acordados sones
hora en salmos, en himnos, verso o prosa;
templad un instrumento
y desplegad la voz al blando viento.»                 15
     «Bien es hablar al viento,
¡oh gente cruda y fiera!
pedir a un lastimado alegre cara.
No da un triste contento,
mal cantará el que fuera                              20
mejor que vida y alma le dejara.
Y pues la suerte avara,
nos trajo a tierra ajena,
¿cómo podrá la lengua

---

5  *burlando de.* Ya queda indicado que era frecuente esta construcción. —«¡Yo! ¿*Burláis de* mí, señora, o queréis passar tiempo con
las gentes?» Lope de Rueda, *Com. Eufemia,* 112. Ed. cit.—«Mira, no
busques mal año, porque estás *burlando de mí.*» Villalobos, *Anfitrión,*
479. Bibl. Rivad.

16  *Bien.* Aquí tiene el valor de una conjunción, *pero, aunque,* que
sirve para contraponer un concepto a otro.

20  *mal cantará el que fuera.* Está oscuro el sentido de este verso
y del siguiente. Parece querer expresar: mal podrá cantar quienquiera que sea, si es que la vida y el alma se lo consienten o permiten.

21  La expresión *mejor* tiene aquí el valor de una conjunción
condicional, *si es que, dado caso que.*

cantar, sin hacer mengua,
cantares del Señor? ¡Ay dura pena!
¡Dejadnos llorar tanto,
que se acabe la vida con el llauto!»
5      ¡Muera yo en triste llanto,
y mi mano me olvide,
Jerusalén, si acaso te olvidare,
y si alguna vez canto,
lo que el bárbaro pide,
10    mientras que de ti ausente me hallare!
Y si jamás callare
tu gloria y alabanza,
mi lengua quede helada,
y al paladar pegada,
15    de tan grave maldad justa venganza;
pues mal parecería
poder tener sin ti bien ni alegría.
Y si bien, si alegría
algún tiempo tuviere,
20    de quien Jerusalén no tenga parte,

---

6   *y mi mano me.* Nótese la cacofonía de este verso.

20   *de quien.* Ya queda indicada la frecuencia con que los clásicos usan del *quien* como relativo de persona o de cosa indistintamente, o concertando con un antecedente en plural.—«Entre tantas cosas a *quien* les conviene este nombre». Fr. L. de León, *N. de Cristo*, t III,, p. 26.

«Dame la mano, y alza la cabeza,
a *quien*, como a la causa, se atribuya
si hay en mí algún valor y fortaleza».

Guillem de C., *Las moc. del Cid*,
p. 64, «Clás. Cast.».

«Tu lengua es *quien* no se atreve».

Alarcón, *La verdad sospechosa*, jor. II.

«Pero antes de que dé fin hoy a la caza,
descubriré *quién* fueron los tiradores».

T. de Molina, *El vergonzoso en Palacio*,
act. I, p. 16, «Clás. Cast.».

no goce el claro día,
y el bien que Dios me diere
le pierda y se reparta en otra parte.
Véame de tal arte,
que el airado enemigo                                        5
de mi mal se enternezca,
el día que acaezca
tener sin ti contento. Sey testigo,
Señor, de esto que juro,
porque esté de cumplillo más seguro.                         10
   Fuerte amparo y seguro,
defensa valerosa
del alma que en servirte a ti se emplea,
pues eres nuestro muro,
vuelve tu poderosa                                           15
mano a aquel que te ama y te desea;
y mira que Idumea,
cuando el duro enemigo
los muros derrocaba
era la que llamaba                                           20
con voz horrenda al bárbaro su amigo:
«Derrocad los cimientos,
no quede de Sión ni aun fundamentos.»
   ¡Oh ciudad miserable!
¡Babilonia sangrienta,                                       25

---

4  *de tal arte,* de tal suerte o modo.—«*De arte* que Isaías llama
rescates a los judíos, y a Dios llama piadoso». Fr. L. de León, *Nombres*, I, 124.

8  *sey,* del anticuado *see.* En los clásicos es frecuentísimo este
imperativo y las formas de él derivadas *seime, seyendo,* etc.—«Tú,
Caliope, me *sei favorable*». J. de Mena, *El laberinto de Fort.*, 3.—
«Este obispo, *seyendo* deán de Santiago, fué uno de los nombrados
a quien el rey don Juan mandó ir a aquella embaxada». F. del Pulgar, *Claros varones*, 138.

    «Por santo nin por santa que *seya* non sé quién
   non cobdiçie conpaña, si sólo se mantién».
            A. de Hita, *L. del buen Amor*, I, 51.

no tengas otro canto más sabroso!
y un caso lamentable
te pague en igual cuenta,
con castigo que al mundo sea famoso.
5    ¡Oh felice y dichoso,
el que en venganza fiera
del mal que nos ha hecho,
pasare pecho a pecho
tu gente con la espada carnicera,
10   tus viejos desdichados,
para morir mil muertes reservados!
    ¡Oh bienaventurados,
quien tus tiernos hijuelos
de las cuitadas madres arrancare!
15   y en alto levantado
el brazo, por los suelos,
sus celebros en piedras quebrantare;
y el que no se ablandare
al llanto y las querellas
20   de las más regaladas,
pasando las espadas
por las gargantas tiernas, blancas, bellas;
y el que tus torreados
muros, deje en mil llamas abrasados!

---

17   *celebros*, por cerebros. Aún se encuentra con frecuencia en la
época del autor el cambio de las líquidas *r* y *l*. Ambos términos se
usaban indistintamente, lo mismo que *robre* y *roble*.

«Juro que me sería
en amarme tan firme como roca
o como *robre* exento».

Villegas, *Erot. y Amat.*, 64.

«Cuando pescador pobre
mucho despide, red de poco *robre*».

Góngora, *Canción*.

23   *torreados*. En algunas ediciones se lee *rodeados*, a todas luces
incorrecto.

## XXV

He aquí cómo en este salmo se nos pinta la sembrada de lágrimas que hicieron, yendo cautivos los del pueblo de Dios. Veamos ahora el regocijo que tuvieron a la vuelta, que fué el fruto de aquella semilla. Dice, pues, así el salmo:

### SALM. 125

Cuando al Señor del cielo
le plugo levantarnos el destierro,
se nos volvió en consuelo
la pena, cárcel, grillos y su hierro.
  Y tal fué la alegría
que nos vino tras tanta desventura,

---

3  *sembrada*, aquí es lo mismo que sementera.

«Pues no son, cierto, prósperas *sembradas*
en la fértil Cerdeña,
ni las que por su breña
Calabria pace cándidas manadas».

Villegas, Versión XXXI, *De sí mismo.*

«Aquella *sembrada* satisface finalmente a los deseos del avariento labrador...» Diego López, *Traducción de Virgilio*, Georg. I, Cit. por N. Cortés, íbid.

que, puesto que se vía,
más nos pareció sueño que soltura.
    El rostro señalaba
la risa que nacía del contento,

5        y la lengua cantaba,
desplegando la voz al blando viento.
    Cuando volver nos vieron
los que de nuestro mal fueron testigos,
espantados dijeron:

10    «Tratádolos ha Dios bien como amigos».
    «Con gloria, con grandeza,
con abundantes bienes, con despojos
los vuelve a tanta alteza,
cuanto vieron jamás humanos ojos.»

15    Decís verdad en eso,
que el ínclito Señor nos ha mirado
con apacible gesto,
y en contento el dolor nos ha trocado.
    Señor, nuestros cautivos

20    vuélvelos como arroyo en seca tierra,
y suple con los vivos
la mengua de los muertos en la guerra.
    Como en la ardiente Libia,
cuando el rojo león le abrasa el suelo,

25    si el labrador la alivia,
torciéndole del agua el grato hielo;

---

1 *puesto que,* igual que aunque, como se ha notado ya repetidas veces.

9 *espantados,* sinónimo de admirados o maravillados.

10 *Tratádoslos* traen algunas ediciones.

14 *cuanto;* la correlación exigía decir *cuanta*; pero el *cuanto* equivale aquí a *como no vieron*, etc.

23 *Sicut torrens in austro.* Este verso tiene tres exposiciones. La primera es la de los dos cuartetos que siguen empezando: «Como en la ardiente Libia»; la segunda está en los tres cuartetos, que vienen a continuación, y la tercera, en los tres que subsiguen a los citados.

Así será templada
la fuerza del dolor del cautiverio,
si por ti es reparada,
volviéndonos a nuestro antiguo imperio.
   Y como cuando mueve          5
el ábrego lluvioso, que desata
de las sierras la nieve,
y las nubes condensa, aprieta y ata,
   Y las resuelve en lluvia
hinchendo de los ríos las canales,         10
y deja el agua turbia
la señal de sus fuerzas desiguales;
   Así tal crecimiento
nos da, Señor, y fuerzas tan pujantes,
que este contentamiento          15
a envidia mueva, al que a dolor movió antes.
   Renueva, Dios, ahora
la salida que hiciste en el desierto
del pueblo que te adora,
y acuérdate, Señor, de aquel concierto.      20
   Y así como rompiste
de un peñasco pelado agua copiosa,
y en austral tierra diste
estanques de agua más que miel sabrosa;
   Así en esta salida         25
de Babilonia, acude y nos consuela,
y da refresco y vida
al pueblo que en servirte se desvela.
   Porque entonces, volviendo
con el bien que tu mano rica encierra,     30
será volver cogiendo
lo que sembramos, yendo en seca tierra.

---

9  *y las resuelve.* La ed. de Rivad. trae y las revuelve, que creo
incorrecto, lo mismo que el verso siguiente que trascribe así:

Hinchendo los ríos, las canales.

20  *concierto*, por trato o alianza.
21  *rompiste*, por hiciste brotar,

Cual labrador que mira
el campo estéril, siembra descontento
su pan, gime y sospira,
mas, si le acude, coje de uno ciento;
5      Así los que sembraron
lágrimas entre espinas, entre abrojos,
después, cuando tornaron.
cogieron de alegría mil manojos.

Hasta aquí es el salmo, donde se descubre el fru-
10 to que traen las lágrimas al que las derrama. Parece
que quiere decir el autor de este salmo que, para
que el que siembra en secano coja fruto, ha menester aguardar buen tempero, cuando la tierra está
llovida y bien calada de agua del cielo, entonces
15 hace buen sembrar; pues así los judíos iban regando con lágrimas la tierra, donde sembraban sus trabajos y cautiverio, para que naciese bien el fruto
del consuelo y vuelta que esperaban.

Así, ni más ni menos, los santos no se hartaban
20 de llorar y derramar lágrimas; porque como vían
que esta tierra maldita de nuestro cuerpo es seca y
estéril, y que le habían dicho allá en el paraíso:

---

3  *sospira*, por suspira. Era frecuente aun en la época dal autor
el cambio de la *u* por *o*, como sucede todavía en algunas regiones
leonesas. «Mira sus quietas sombras quam escuras están e apareja-
das para encobrir nuestro deleite». *Celestina*, II, 194.

4  *acude*, aquí tiene la acepción de rendir o producir. El *Dicc. de
la Acad.* recoge también este significado; *acudir* —dice— significa
también dar o llevar frutos la tierra».

13  *tempero*, «Vale sazón y templança de tiempo, vocablo antiguo». Cov. *Tesoro de la Leng.* Es término aun corriente, que conserva
su sabor castizo entre las gentes del campo castellano.

«Espinas y abrojos te producirá», parecíales que,
para hacerla fértil y de mucho fruto, el remedio mejor era regarla a menudo, como a tierra delgada y
flaca, y por eso lloraban tanto. Y por lo mismo dijo
nuestro Redentor: «Bienaventurados los que lloran,      5
porque sacarán fruto de consuelo». ¿Qué otra cosa
pensáis que son las lágrimas que lloramos haciendo
penitencia, sino una semilla que sembramos, que
por cada grano nos han de dar ciento de gloria? No
es lágrima que se llora, sino grano de trigo que se    10
siembra. En el cap. 31 de Jeremías, va Dios diciéndoles a los de su pueblo palabras de grato regalo,
y habla de cómo los había de volver de la cautividad, a donde por sus pecados los llevaron los enemigos, y dice el profeta o Dios por el profeta: «Ya   15
mi pueblo me parece bien, ya ha hallado gracia delante de mí; ámole y no le puedo negar, y este mi
amor no está prendido con alfileres que se caiga
así como quiera, que es perpetuo el amor que le
tengo, y así lo he vuelto a mí, apiadándome de verle   20
tan lastimado. Otra vez volveré a reedificar tus muros, virgen de Israel. Aun bailarás al son de los
adufes y panderos y te hallarás en los coros de las
danzas. Mira que yo traeré a mis siervos de allá del
Septentrión y los ayuntaré y los volveré de los rin-   25
cones más apartados de la tierra. Las lágrimas que
al ir derramaron por el sobrado dolor, al venir las

27  *sobrado*, lo mismo que excesivo.

derramarán por la demasiada alegría. Traerémelos
yo por las riberas de las aguas y vendrán camino
derecho, no por rodeos, como lo hice con sus padres allá en el desierto; regalarlos he, ninguno se
5 me cansará, porque soy padre de Efrain y mi primogénito es Israel». Hasta aquí dice Dios. Con
cuánta terneza consuela a los que lloraron, con que
por ventura las lágrimas de aquellos fueron no tanto por sus pecados como por los males que de allí
10 les nacieron. Pues ¿cómo consolará el Señor y cómo
enjugará los ojos que lloran porque le ofendieron?
No es tesoro este de las lágrimas que se sufra derramar y que no vaya perdido, sino cuando se derrama por pecados. Sólo por haber ofendido a Dios
15 se puede y debe llorar. Dios ofendido, ¿quién no
llora? ¡Oh alma, si supiésedes qué cosa es Dios y
esté ofendido, y qué poca agua tiene el mar para
apagar llorando una sola ofensa de Dios! Por menos
ocasión que esta dice Jeremías: «Hija de mi pueblo,
20 deja las galas y vestidos de fiesta, cúbrete de cilicio
y esparce ceniza sobre la cabeza; llora, como quien

---

4  *regalarlos he*, equivalente al futuro los regalaré.
7  *con que*, equivalente en este caso a *porque* o *por lo que*.

> «mas la melodía
> de mi dulce canto,
> se ha tornado en risa;
> *con que* soy ya cuervo
> que así cambian días.»

> Trillo y Figueroa, *A unas damas.*

ha perdido un sólo hijo y sea el llanto amargo y doloroso». Llanto de unigénito quiere Dios que haga su pueblo por el sentimiento del castigo que le ha de venir. Si una persona principal no tuviese más de un solo hijo, del cual cuelgan todas sus es- 5 peranzas, y que en él y con él se acabase su nombre y casa y ese le viese ya difunto delante de sus ojos, ¿qué palabras bastarían para consolarle? ¿qué ejemplos se le podrían traer que fuesen parte para aplacar su dolor? 10

Un solo hijo, y ese malo, se le murió a David, y tal que se le rebeló y alzó con el reino y le persiguió para quitarle la vida, como de hecho se la quitara, si Dios, que guardaba al buen viejo de David, no desbaratara el consejo de Aquitofel; y cayendo 15 en la batalla y alanceándole Joab y oyéndolo David, fueron tales los extremos que hizo, tantas las lágrimas que derramó, tan dolorosas las palabras y tan tristes las lamentaciones que dijo, que todo el ejército que venía con la alegría con que suelen volver 20

---

5 *más de*, equivale a la forma exclusiva *más que*, *sino*. «No vía el justo Simeón *más del* glorioso niño pobrecito». Sta. Teresa, *Camino de Perfección*.

5 *cuelgan*, por están pendientes.

10 *fuesen parte para*, es lo mismo que tener poder, bastar para. «Mas lo exterior sin lo interior no *es* más *parte para* hacer al hombre virtuoso que el cuerpo sin ánima para hacerle hombre». Fr. L. de Granada, *Guía de Pecadores*, 256. Ed.» Clás. Cast».—«... O sospecháys que se debía esta gloria a vosotros, o que *será parte* vuestra contradición para quitarla?» Fr. L. de León. *Nombres*, I, 191.

14 I, *Reg.*, 18.

los vencedores, cuando oyó decir el sentimiento
que el Rey mostraba y las lástimas que hacía por la
muerte de un parricida de pensamiento, se turbó y
no osó llegar adonde estaba llorando el Rey. Pues
5 malo era, pues otros le quedaban, pues no era digno de tales lágrimas; traidor era a su padre, pecador a Dios, alborotador al reino, condenado por la
ley, violador de las divinas, naturales y humanas,
¿y tras todo esto llorado, tan suspirado, tan lamen-
10 tado? ¿Qué hiciera si fuera santo y pío para Dios,
obediente y humilde para su padre, provechoso y
justo para el reino, solo y unigénito para la casa
real? Y si el santo rey David no se podía consolar
de la muerte de tal monstruo, furia del infierno,
15 infamia de hombres, afrenta de hijos, ¿cómo se con-
solara, si fuera tal que mereciera tal llanto?

¿Quién vió los sentimientos del buen patriarca
Jacob, cuando oyó la falsa nueva de la fingida muerte del muchacho Joseph? Mostráronle la ropa galana
20 que le había hecho, porque le amaba tiernísima-
mente y traíale muy polido; tomóla, miróla, vuelve
y revuélvela, véla rota, despedazada, bañada de sangre, medio seca y denegrida, conócela, aunque tan
malparada; levántase el santo viejo de la silla, ras-
25 ga sus vestiduras, comienza a derramar lágrimas y
dar voces, diciendo: «¡Ay de mí, que alguna mala
fiera ha devorado a mi hijo Joseph! ¡Oh fiera cruel,

---

19 *Genes.*, 37.
21 *polido*, por pulido o aliñado.

que has encerrado en tus entrañas las de mi hijo y
mías, abrasada te vea de mal fuego, que por ti se
acabó para mí el contento en esta vida!» Vistióse
Jacob de cilicio, derrocóse en tierra, salían dos
fuentes de sus ojos que regaban aquellas venerables   5
canas, y ni su dolor tenía modo, ni su llanto tregua,
ni su desconsuelo recibía consolación. Oyéronlo decir sus diez hijos, vienen todos cargados de luto, los
semblantes tristísimos, comienzan a consolarle lo
mejor que cada uno sabía; más el santo viejo no   10
pudo ni quiso tomar consuelo. Pues once hijos le
quedaban, nietos, y muchos tenía de ellos; no era
Joseph solo ni el primogénito, y con eso le llora así.

Pues no quiere Dios que sea como este el llanto
de su pueblo, ni como las endechas con que lamen-   15
taba David, sino mucho mayor, como de cosa más
cara, como de cosa que tocó más en lo vivo, más
sensible y más preciada, en fin, como de unigénito.
Pues considerad ahora, hombres, no a Absalón
alanceado, no a José muerto, no a Tobías ausente,   20
ni Jerusalén abrasada, sino a vuestra alma en pecado, y que por él está muerta y que es sola, que no

---

6  *modo*, equivalente a límite o medida.

«Por ti me estoy quejando
al cielo y enojando
con importuno llanto al mundo todo;
el desigual dolor no sufre *modo*.

Garcilaso, *Égloga Primera*.

13  *y con eso*, y con todo.

tenéis dos, y que la muerte es eterna, el ofendido
es Dios, lo que se pierde es el cielo, lo que se gana
es un infierno, y qué tal será razón que sea el llanto
que ha de bastar igualar a tantos daños.

5      Si la Virgen benditísima lloró con tanto dolor la
pérdida corporal de solos tres días del niño, ¿cómo
se podrá llorar la eterna de Dios, y sin esperanzas
de gozarle jamás, si su misericordia no se pone de
por medio? «¡Ah Señor, decía el santo rey David a
10 Dios, que una noche os ofendí y quedó tan sucio
mi lecho, que no hago sino jabonarle cada noche
con lágrimas de mis ojos, y nunca acabo de lavarle!»

Son las lágrimas una picina turbada, que tiene
Dios vinculado en ella su consuelo; y por esto decía
15 el Señor: «Bienaventurados los que lloran porque
ellos serán consolados». ¡Qué consolado, qué alegre
queda uno cuando ha llorado sus pecados, cuando
ha hecho una confesión general! Como uno que ha
acabado de pagar sus deudas, ¡qué ligero, qué ali-
20 viado se halla! ¡qué carga desecha de sí! «Señor,
dice el otro, bendito sea Dios, que no debo nada a

---

9  *Salm.*, 50.

11  *jabonarle.* Cuando el autor apela a estos recursos de expresión no sabemos si es que se acerca mucho a la vulgaridad o es que
preludia ya el gongorismo y las violencias y rebuscamientos que
despeñaron el lenguaje clásico por las vertientes de lo conceptuoso
y del barroco extralimitado.

13  *picina*, por piscina.—«*A piscibus*, aunque de ordinario en las
piscinas no se cría ninguno». Covarr., *Tesoro*.

15  Mat., 5.

nadie, que me parece que me he quitado un Moncayo de encima»! Así los que lloran: ¡qué contento tienen y qué ánimo toman para pedir a Dios y para acabar con él todo cuanto quieren! Lloraba Esaú a voz en grito, porque su hermano Jacob le había hurtado la bendición y porque su padre no le daba a él ninguna. Dícele Isaac: «Ya la he dado a tu hermano, héle fortificado con pan y vino, héchole señor de sus hermanos; pues tras esto, hijo mío, ¿qué te puedo dar a ti?» Fueron tantas las lágrimas y tanto lo que lloró y tan grande su importunación y molestia, que al fin sacó bendición donde no la había.

Pues si las lágrimas de Esaú movieron a Isaac para que no dejase desconsolado a su hijo y sacaron lo que parecía imposible, ¿qué os parece que sacarán las lágrimas de un penitente de un corazón tiernísimo de Cristo, herido y lanceado por amor del pecador? Son las lágrimas la moneda con que se pagan y desquitan los pecados; de manera que entre Dios y el hombre hay libro de gasto y recibo. El gasto del pecador son los pecados, y el recibo de Dios son las lágrimas.

Y así como para averiguar las cuentas con vuestro tesorero hacéis que os trayan delante los libros del

---

4  *acabar con*, conseguir de, como ya queda anotado.

25  *trayan* por traigan —como se ha indicado—, se escribía con mucha frecuencia durante los siglos XVI y XVII, lo mismo que el singular *tray*.

gasto y del recibo, para ver quién alcanza al otro;
así Dios, para lo que cada uno paga o debe, pone
delante los pecados que el pecador cometió y las
lágrimas que lloró por ellos. «Pusiste, Señor, dice
5 David, nuestras maldades en vuestra presencia». Y
cierto está que, por este libro del gasto, condenado
quedaba el pecador; porque ¿quién hay que no pe-
que?, dice la Escritura; mas es Dios tan bueno, es
tan dulce y tan enemigo de castigarnos, que saca
10 luego el otro libro para ver por allí lo que su Majestad ha recibido en desquite de nuestras deudas.
Y así dice en otro salmo: «Pusistes, Señor, mis lágrimas en vuestra presencia». Como si dijera: cuando abristes, Señor, el libro donde teníades asentado
15 el gasto de mis pecados, y leístes allí mis muchas
maldades, las grandes mercedes que de vuestra
santa mano he recibido, y el malbarato que de ellas

---

«Que no dudo que se ofrezca
una ocasión en que demos,
viendo que papeles hay,
con quien los lleva y los tray».

Calderón, *La dama duende.*

5  *Salm.*, 89.
12  *Salm.*, 55.
17  *malbarato.* Las demás ediciones traen *mal barato*, errónea-
mente. *Malbarato* equivale a dilapidación o derroche. Pero no veo
por qué este término tan expresivo y castizo no figura en el *Diccionario de la Academia*, siendo así que están anotados *malbaratar*, *mal-
baratillo* y *malbaratador*, términos de uso corriente, y que todos
ellos se derivan de *malbarato*. ¿O es que por ventura no está em-
pleado aquí con tanta propiedad como pudieran estarlo *derroche*,

y de cuanta riqueza me habéis entregado he hecho,
y que he gastado mal vuestra sangre, tantos sacra-
mentos, tanta palabra divina, tantas buenas inspiraciones, tanto tiempo de espera que me habéis esperado y sufrido; y que de todo esto y de mucho más   5
que no cuento, he abusado, lo he gastado, lo he
perdido y despreciado; cuando vi, Dios mío, que
andábades sumando las planas, y que multiplicába-
des las partidas, yo me di por perdido y no me
quedaba ya que esperar sino sólo el infierno. Mas,   10
cuando tras esto os vi abrir el libro de las lágrimas
que he llorado por haberos ofendido, y que mirábades aquel *peccavi*, que dije en vuestra presencia,
y el dolor y penitencia que en medio de mis maldades hice; confieso, Señor, que me parece que resu-   15
cité como del sepulcro y revivió mi confianza, y
extendí la cabeza a ver lo que teníades en los libros,
y vi que adrede dejábades caer las lágrimas del recibo sobre la suma del gasto de mis pecados y que
mirábades cómo con las lágrimas que caían se borra-   20
ban las partidas; y vos, buen Señor, muy contento
de aquello, como si fuera interese vuestro lo que
sólo era provecho mío.

---

*disipación* o *despilfarro?* La riqueza idiomática del P. Malón de
Chaide tiene su mejor fianza en que ha sido extraída del abundante
venero del habla popular y del uso cotidiano.

18   *adrede.* Por demás está indicada la significación de este adverbio tan frecuente en el lenguaje ordinario; *de propósito, de intento*:
su etimología latina parece ser de *ad* y *recte.*—«Y si alguna vez com-
praba yo algo en la plaza, por lo que valía reñíamos *adrede* el ama y
yo». Quevedo, *Buscón*, 77.

Acuérdaseme, Señor, que pidiéndole Perilo a
Alejandro que le socorriese para casar tres hijas
que tenía, le mandó dar cincuenta mil ducados.
Parecióle mucho a Perilo y díjole: «Señor, diez mil
5 me bastan». Respondióle el generoso rey: «A ti sí
para recibir, mas a mí no para dar». ¡Oh infinitas
veces más liberal que Alejandro! ¿y quién podrá
ponderar tu liberalidad como debe? ¿Qué tiene, Señor, que hacer su hazaña con la tuya? Él dió dineros,
10 tú perdonas pecados; él pocos, tú infinitos; él los
sacó de la bolsa, mas tú sacaste mi perdón de tus
entrañas; él remedió la miseria de Perilo con dineros ajenos, robados a los persas y de los tesoros de
Darío, mas tú remediaste mis pecados con sangre
15 propia, sacada del tesoro de tus venas y cuerpo sacrosanto.

Y cuando el pecador derrocado a tus pies te dice:
*Pacientiam habe in me, et omnia redam tibi;* entonces
le dices tú: «Pues *Omne debitum dimitto tibi*». Y
20 cuando él te dice: «Señor, con menos me contento
y menos merezco», entonces tú le respondes: «Tú
sí para recibir, pero yo no me contento con menos
para dar». Créolo, Señor, créolo, que la rica y liberal mano tuya jamás supo dar poco; y aun, a decirte
25 la verdad, a no ser esto, todo lo demás era poco para
mí, y ni bastara menos para pagarte a ti, ni para li-
brarme de la deuda a mí.

---

9  *Qué tiene que hacer*, equivale a qué tiene que ver o qué comparación cabe.

Pues si tanta fuerza tienen las lágrimas, que la hacen al mismo Dios, María que debe tanto, bien es que llore tanto; y pues tiene mucho que lavar, bien es que el Señor la deje llorar mucho, que el paño que está muy sucio, hase de lavar mucho, y estregar mucho y jabonarlo mucho, para que salgan bien las manchas y quede blanco y pueda servir a la mesa. Pero mira, alma, que, si se jabona con agua fría, no saldrán las manchas viejas, y que están muy encorporadas y empapadas en el paño; así, ni más ni menos, si lloráis fríamente vuestros pecados, no saldrán las manchas viejas de ellos, ni quedará el alma limpia. Menester es hacer una colada de lejía, y echarla hirviendo sobre ellos, para que queden limpios. Ardientes han de salir las lágrimas del corazón, si han de parecer bien a Dios. Pero ¿cómo saldrán ardiendo, si el corazón que las envía está frío? ¿Y cómo no estará frío si no tiene amor, que es fuego? Abrasadas salían de María: *Quoniam dilexit multum.* Porque amaba mucho, ardía mucho, y por eso lloraba mucho; y como las lágrimas salían encendidas y daban a los pies del Señor, tocóle el fuego y encendióse en el amor del alma de María, y amóla y lavóla y perdonóla.

De suerte que ella a él le lavaba los pies con lágrimas, y él a ella el alma con su gracia. Mucho hacía María, pero más hacía Cristo; hacía mucho ella

---

10 *encorporadas,* anticuado, por incorporadas.

Que vuelto en nuestro lenguaje dice así:

> Pésame, y ¡oh! si cosa a un miserable
> se cree, yo lo confieso;
> pésame, y mi verdugo es el exceso
> del mal que cometí, pues de intratable
> rigor ocurre armado al pensamiento,
> y dame tal tormento,
> que el alma que lo mira
> teme, llora, se encoge y se retira.
> Y aunque es así que peno en mi destierro,
> más me duele la pena
> que el verme desterrado en tierra ajena,
> cargada la cerviz de grave hierro;
> y al padecer la pena no me es tanto,
> aunque es grave mi llanto,
> que en mucho menos grado
> no sienta yo la pena que el pecado.

y Juvenal dice:

> *Evasisse putas, quos diri conscia facti*
> *Mens habet attonitos, et surdo verbere cœdit?*

> ¿Piensas tú que se escapan los que el alma,
> sabidora del alma abominable,

---

22  *Sabidora* por sabedera. Caso de asimilación ordinaria en los clásicos: «¡O pecadora de mi madre, si de tal cosa fueses *sabidora,* cómo tomarías de grado tu muerte e me la darías ami por fuerça!» *La Celestina*, t. II., p. 128. Ed. cit.

«Yo cosa no sabía
Y el ganado perdí que antes *siguía.*»

S. J. de la Cruz. *Cántico Espiritual*, 241.

«Destos terrores hizo *minción* la Esposa en los *Cantares*». Ibi, 163.

atónitos los trae y espantados,
y con un duro azote los aflige?

Así que mucho vale la penitencia y mucho valen
las lágrimas, pues ablandan la ira y saña de Dios y
aun la de los príncipes de la tierra, como lo dijo  5
aquel que, después en su caso le salió al revés, pues
las suyas no pudieron mover a Augusto, para que
le alzase el destierro.

*Et lachrymæ prosunt; lachrymis adamanta monebis*
*Sæpe per has flecti principis ira potest.*            10


    Y tal vez el llorar nos aprovecha,
    que las lágrimas mueven a un diamante;
    y por ellas, a veces, ablandarse
    del príncipe se ha visto la aspereza.


Para alcanzar perdón más valen las lágrimas que  15
las palabras; de lo cual dice San Máximo: «Las lágrimas son ruegos callados; no piden perdón, sino
que lo merecen; no proponen la causa, mas alcanzan la misericordia». Más provechosos son los ruegos de las lágrimas que de las palabras; porque las  20
palabras puédense engañar en el ruego, mas no las
lágrimas; y es porque las palabras, no todas veces
declaran todo el negocio, mas las lágrimas siempre
descubren todo el efeto. Y así San Pedro no usó de

---

16  D. Maxim. *De negatione Petri.*

palabras, con las cuales había negado, había pecado, había mentido y había blasfemado y perjurado,
y aun renegado, porque no le dejasen de creer,
contestando con las palabras, boca y lengua con
5 que había pecado; mas lloró, y mucho, y con un
amargo llanto, y fué harto más creído, llorando, que
lo había sido prometiendo sobremesa. Son las lágrimas moneda que no se puede falsear, único refugio
nuestro; lavan las manchas de nuestros pecados,
10 aplacan la ira de Dios, alcanzan el perdón, alegran
el alma, pagan las deudas, ahuyentan los demonios,
fortifican la fe, aumentan la esperanza, encienden
la caridad, abren los cielos y, finalmente, las lágrimas ungen, ablandan, punzan, mueven y fuerzan.

15 Y, como dicen San Gregorio y Juan Clímaco,
«son las lágrimas un holocausto grueso, madre de
las virtudes, lavatorio de las culpas, mantenimiento
del alma y vino de los ángeles». ¡Oh dulce bebida
la de las lágrimas, rico don de Dios!, quien no te
20 tiene, pídalo, ruéguelo, importúnelo, que de sola la
mano divina puede venir al alma. Y para moveros
a llorar, hombres de guijarro, mirad con atención
cuánto lloraron los santos, un San Pedro, un Jerónimo, Francisco, Nicolás de Tolentino y otros gran-
25 des varones, que tenían aradas y arrambladas las

---

7    *sobremesa*, es modo adverbial por de *de* sobremesa.
25    *arrambladas*. «Arramblar, dejar los arroyos o torrentes llena
de arena la tierra por donde pasan en tiempo de avenidas». *Diccionario de la Academia.*

mejillas y resueltos y gastados y ciegos los ojos de
lo mucho que lloraban. ¿Quién no llorará si mira
que está desterrado en un valle de lágrimas, entre
cruelísimos enemigos, que ni por un sólo momento
le dan reposo? Pues ya si considera que de balde, 5
que sin porqué ha ofendido tantas veces a Dios, y
a tal Dios, Dios suyo, Padre suyo, Criador suyo, y
a Cristo, su buen hermano, su Redentor que lo
compró, y no con oro, ni con plata, ni piedras preciosas, que para eso valían poco y eran viles y ba- 10
jas, mas con su divina y preciosísima sangre, bastante y solo precio de nuestras deudas, y a la Santísima Virgen, Madre suya y abogada nuestra, y a los
santos y santas y aun a todas las criaturas, porque
a todos ofende el que ofende al Señor de todos. 15
Moverse ha a lágrimas también, si se considera
como culpado en innumerables maldades y que está
delante del justísimo y severísimo juez, desampara-
do de todo favor, solo, esperando la rigurosa y horrenda sentencia que le dicen: «Ve maldito al fuego 20
eterno, en compañía del demonio, a quien serviste»,
y que, acabada de promulgar esta sentencia, llegan
a ponerla en ejecución, con voces, con grita, diciendo:

Camina, miserable, date priesa, 25
a la tiniebla espesa, a llanto, a fuego,

---

1 *resueltos*, en la acepción que de resolver anota el *Dicc. de la
Academia*, destruir, deshacer.

a las furias sin ruego, a las culebras,
a las hermanas negras, mal peinadas,
a las tristes moradas, a tormento,
a dolor sin cuento, a los temblores
5 de dientes, y a mayores desventuras,
a terribles figuras y espantosas,
a voces dolorosas, horcas, lazos.

Pero de las penas del infierno, ya a su tiempo en
el *Libro de todos Santos*, que saldrá tras este, digo
10 harto; así no habrá que pintar aquí aquellos acerbos
y vehementísimos tormentos que padecen las almas
miserables, condenadas por sus pecados a sufrirlos.
Y así, dejándola para allá, volvamos a nuestra Magdalena, que se está deshaciendo en llanto a los pies
15 del Señor. Tampoco le habla el Redentor: calla
María, y calla Cristo, porque las almas hablando,
las lenguas hacen callar. ¡Oh, quién viera ese tu corazón, ¡oh Rey de gloria!, al tiempo que aquella pecadora te lavaba tus sagrados pies! ¡Cómo se debían
20 de derretir esas entrañas en regalo y contento, y
qué elevado debías de estar oyendo los gemidos de
tu corazón!

Acaece que un hombre muy aficionado a música,
pasa de noche por la calle con otros amigos; oye
25 tañer y cantar divinamente y quédase con el pie

10 *harto*, por bastante, unas veces, y otras mucho de uso corriente entre los clásicos. «Y así no digo asaz, sino *harto*». J. de Valdés,
*Diálogo de la Lengua*, p. 101. Ed. Montesinos.—«Que yo traté con
uno que había oído todo el curso de teulugía, y me hizo *harto* daño
en cosas que me hizo entender no eran malas». Sta. Teresa. *Camino
de perfección*, I, 57.

que iba a asentar levantado, por no perder un sólo
punto de la música, y está tan elevado, que no se
le acuerda ni mira que se van sus compañeros. Dícenle: «Señor, andá, que nos vamos».—¡Oh, válgame Dios! ¡callad por vuestra vida, no me estorbéis,
que gusto mucho de esta música!»—¡Oh Redentor
de mi alma! ¡y qué amigo eres de música y qué dulce es a tus orejas la que te da un pecador cuando
te llama! ¡Cómo te eleva y parece que te saca de ti!
Estabas un día en el campo con tus sagrados amigos; comienza a darte música una cananea, y a cantar aquel *miserere mei fili David*, Hijo de David, habed lástima de mí, que mi hija es mal atormentada
del demonio. *Ipse autem non respondit ei verbum.*
Tú, Señor, no le respondiste palabra. Duraba la
música, dícente tus discípulos: «Dejadla, Señor, que
*clamat post nos*, que da voces en pos de nosotros,
decidle que harto ha cantado». Respóndesles tú:
«Callad, que me estorbáis, y gusto de esta música».
Y como cuando en el canto suele callar la una voz,
señor, ¿por qué no canta aquel pues es cantor? ¡Oh!
es que no entendéis el artificio de la música, aguar-
dad ciertos compases, y él entrará cuando haga

---

1 *asentar;* es el término propio, sinónimo de posar, como se
emplea en el lenguaje común «y entre plebeyos, entre los quales
también se dice *posar* por asentar; entre gente de Corte no se usa».
J. Valdés, *Diálogo de la Lengua*, 115.

12 Matt, I, 5.

23 *ciertos*, por algunos, usado como indefinido.

mejor consonancia que si ahora cantase. Así Cristo
nuestro Redentor no responde a la cananea, aguarda compases de acrecentamiento de fe, y después
sale con aquel: «¡*Oh mulier, magna est fides tua*,
con un punto que lo pone en el cielo, y dice: «¡Oh
mujer, grandísima es tu fe! ¡Hágase como quieres!».
Así hacías aquí, ¡oh buen Jesús! Dábate música la
Magdalena, porque los señores no comen sin ella.
Agradábate tanto, que se te olvidó el comer; quedaste con la mano en el plato, suspenso, elevado,
con la dulzura de la música y así por no estorbarla
ni quebrarle el hilo no le decías palabra.

Pero veamos más y oigamos a María que prosi-
gue en su música. A los pies está, allí se regala, allí
halla su descanso, su gloria, y allí está su vida. Canta, hecha un mar de lágrimas, y dice: *In lectulo meo
per noctem quæsivi quem diligit anima mea: quæsivi
illum, et non inveni. Surgam et circuibo civitatem, per
vicos et plateas quæram quem diligit anima mea.
Quæsivi illum et non inveni.* En mi lecho y en la
cama de mis contentos, de noche, buscaba yo al
que ama mi alma: busquéle, más no le hallé. ¡Ay
ciega de mí! que pensaba yo que en la noche de
mis pecados, y en el descanso de mis placeres y vicios, allí le había de hallar. Al fin vi mi desengaño,
pues fué trabajo perdido. Quiérome levantar, dije yo

---

5  *con un punto* es decir, con un tono o ponderación.
16  *Cant.*, 3.

entonces, y ver si el mi amado anda paseando la
ciudad de noche. Di vuelta por las calles, miré las
plazas, buscándole; mas tampoco le hallé. Creía yo,
mujer perdida, que en los tratos de la ciudad, en la
trulla y herrería del mundo, allí estaba, y que por 5
sola mi diligencia y cuidado toparía con él. Y no
sabía que el bien de mi alma estaba fuera de todas
las criaturas, y sobre todas ellas, y que todo es menester dejarlo atrás para hallarle, que se han de pasar los elementos, las plantas, los brutos, los hom- 10
bres, cielos, ángeles, serafines y todo lo creado
para hallar al mi Esposo celestial. Andando yo ron-
dando de noche, topéme con la guarda de la ciudad, di en manos de la justicia. *Invenerunt me vigi-*
*les, qui custodiunt civitatem.* Y preguntéles: *Num* 15
*quem diligit anima mea vidistis?* ¿Por ventura habéis
visto por aquí el que ama mi alma? Esto pregunta-

---

1   *el mi amado;* ocurre frecuentemente esta construcción:

> «Rio de Sevilla,
> ¡quien te pasase
> sin que *la mi* servilla
> se me mojase!
>
> L. de Vega, *Poesías líricas,* I, 161.

5   *trulla,* es ruído y bulla de gentes; del latino *turbula.*-«...Quien
los ve el día de la boda como todo anda de *trulla».* M. Alemán,
*G. de Alfarache.*

5   *herrería,* está tomado metafóricamente en el sentido de «ruído
acompañado de confusión y de desorden, como el que se hace
cuando algunos riñen o se acuchillan». *Dicc. Acad.*—«De cuando en
cuando sacaban la cabeza por el escotillón de la cámara de popa por
ver en qué paraba aquella grande *herrería* que sonaba». Cervantes.

ba yo a los veladores que rondaban la ciudad, los
buenos y a los santos, que amparan la república
con sus oraciones, *vigiles,* que velan y oran en el
silencio de la noche. Decidme vosotras, almas san-
5 tas, esposas del Cordero, que veláis y sabéis hacia
dónde anda, si acaso le habéis visto, a dónde le hallaré? Preguntábalo también a las guardas supremas,
a los ángeles, de quien dice Dios: *Super muros tuos,*
*Jerusalem, constitui custodes, tota die et nocte non*
10 *tacebunt laudare nomen Domini.* Sobre tus muros,
Jerusalén, he puesto centinelas, no cesarán de guar-
darte día y noche, y a todas horas alabarán el nombre del Señor. Dijéronme las guardas que era menester pasar más adelante; y así entonces con la
15 ansia de hallarte, dulce Esposo mío, *quæ retro sunt*
*oblitus, ad ea quæ ante me sunt curro, ad bravium*
*supernæ vocationis Dei in Christo Jesu.* Olvidada de
todo lo que atrás queda, pasando las cosas munda-
nas, y a las guardas y a los santos ángeles, comen-

---

8 *de quien,* en singular concertando con ángeles. Hasta muy entrado el siglo XVII era usual esta construcción, con el relativo in-
variable.

«Con los moros, en *quien* son
los alfanges de oropel.»

G. de Castro, *Moc. del Cid.,* p. 127.

Vid. Cuervo, *Gramática,* 329.—«...mohinísimo de verse tan mal parado por los mismos a *quien* tanto bien había hecho». *Quijote,* Parte I, cap. XXII.

8 Isai., 62.

15 S. Pabl. *Ad. Philip,* cap. III,

cé a correr con mayor ansia y priesa, *et paululum cum pertransissem eos, inveni quem diligit anima mea;* y en despreciando y no haciendo caudal de los ángeles, y en levantando los deseos sobre los serafines, luego de allí a un poco, porque todo lo 5 sensible es menester sobrepujar, hallé al que ama mi alma; porque luego, sobre la suprema jerarquía está Dios: *Tenui eum, nec dimittam:* ya, amigo mío, os he hallado, ya os tengo, yo os prometo de no dejaros, porque no os me perdáis otra vez. ¡Heme 10 aquí, Rey mío, Esposo mío, bien y descanso mío, ya tengo vuestros pies, dejadme aquí con ellos abrazada, que ya no quiero más gloria; ténganse los ángeles la suya, que yo ésta quiero, ésta me falta, con ésta me contento, que es tenerte a ti presente, Dios 15 de mi alma! ¡Oh qué ternuras y regalos pasaban del corazón de María al de Cristo, y del de Cristo al de María!

---

3    *no haciendo caudal;* no importándole.—«... y de estas corta-
duras *hizo tanto caudal,* que así llevaba a sus amigos a verlas, etcéte-
ra». Cervantes, *Coloquio de Cipión y de Berganza,* II, 238.

## XXVI

Entró Dios en el corazón de Magdalena con su gracia y refrescóle, que se le abrasaba, y levantóse un ábrego, un aire de mediodía, que desata las nu-
5 bes y las derrite; así María, derretida toda en lágrimas, deshecha en llanto, hizo dos ríos de sus ojos. ¡Oh qué horno de amor era esta pecadora, cuyo fuego de amor profano había abrasado, quemado y muerto y hecho carbón muchas almas en el infier-
10 no! Horno de Babilonia, lleno de confusión, de pecado, encendido siete veces con todos los siete vicios capitales. Si ésta no era horno, si no era Babilonia ¿cuál queréis que lo sea? *Babylon, Babylon posita est in miraculum*, dice Isaías. ¿Quién vió jamás
15 mayor milagro? Poco antes ardía la Magdalena en fuego, ahora se resuelve en agua; poco antes adoraba al mundo y su vanidad, ahora la desprecia y se transforma en Dios; poco antes tenía helado el corazón con su infame vida, ahora están quebrados
20 los hielos, y despedazada la piedra, y corren los ríos. He aquí el fuego trocado en agua. ¡Oh milagro so-

---

10  Dan., 3.
14  Isai., 21.

bre todo milagro! Babilonia es puesta en milagro,
en prodigio, en espanto del mundo. «¿No es ésta
aquella famosa Babilonia, dijo Nabucodonosor, que
yo la he edificado para casa mía real y de estado,
y para que se viese la grandeza y la fuerza de mi 5
poder, y para gloria y hermosura del mundo? ¿No
es ésta, decía el demonio, aquella famosa Magdalena que yo escogí para mi recámara, la que yo de
mi mano la fortalecí para con ella conquistar mil
almas? ¿No es aquella con cuyos ojos y cabellos, y 10
con cuya hermosura ganaba yo grandes triunfos y
victorias? Pues ¿quién me podrá sacar de sus muros
ni alanzar de su corazón? *Babylon posita est mihi in
miraculum*, dice Dios. Babilonia es puesta por milagro; Babilonia mi querida, es la de la mudanza, 15
la del trasiego. ¿Será Babilonia, aquella gloriosa entre los reinos, la ínclita en la estimación de los caldeos, derrocada y puesta por tierra? Véis aquí derrocada y postrada por el suelo a la torre del homenaje del pecado, María a los pies de Cristo. 20

¡Oh gran Dios, Señor del cielo y de la tierra, que

---

3 Dan., 4.

13 *alanzar,* equivale como se ha dicho a arrojar o lanzar. «Si
tiene entrañable aborrecimiento, trabaja por lo *alançar* de sí».
B.º J. de Avila, *Epistolario.*—«E si hallamos que unos tuvieron gracia de *alanzar* diablos». Alejo Venegas, *Agonía del Tránsito de la
Muerte*, IV, II. Ib: «Clás. Cast.»—«Assí abiuaron mis turbados sentidos, que el ya rescibido pesar *alancé* de mí». *La Celestina*, t. II,
página 215.

16 Isai., 13.

sólo con un torcer las cejas lo gobierna y rige todo,
cuyas obras son espanto y maravilla del entendimiento! Entre tantas maravillas y metamorfosis que
hizo en el tiempo felice de su pueblo venturoso,
5 para mostrar su gran poder, de la mujer de Lot en
sal, de la vara de Moisés en serpiente, de los ríos
de Egipto en sangre, del polvo en moscas, del agua
en ranas, del mar en seco, del soberbio rey en bestia, del día en noche y de la noche en día, y de
10 otras obras semejantes y estupendas, mirá si hizo
jamás alguna mayor, alguna más maravillosa, más
rara que ésta, cuando aquel durísimo pedernal,
aquella sequísima piedra, el estéril guijarro y ajeno
de todo humor, lo trocó en copiosísimo estanque,
15 en anchísimo lago, en venas corrientes de agua viva,
y lo hizo fuente y mar espacioso. Volvió la piedra
seca en estanques de agua, y el peñasco en fuentes
de copiosa y dulce bebida. Este es el milagro: «El
Señor ha hecho esto, y es maravilloso a nuestros
20 ojos», dice David: aquel Dios solo, eterno, excel-
so, infinito, glorioso, inmenso e inmortal; aquel
Dios que, como sabio, dispone el mundo, como justo, juzga a los hombres, como poderoso, guerrea a
los malos, como benigno, acompaña a los buenos,
25 como piadoso, consuela los afligidos y como mo-
narca hace cuanto le place en el universo; aquel

---

10    *mirá*, por mirad.
16    *Salm.* 113.
20    *Salm.* 117.

Dios solo, digo, que de nada crió las piedras y las aguas, ha trocado la piedra en agua. No criada virtud de naturaleza, ni humana industria de arte podía hacer tan maravillosa transformación. El solo Dios, que es a quien como prontas esclavas sirven y obedecen la naturaleza y la arte, es el que ha convertido el peñasco en fuente, en fuente de agua: *Quoniam percussit petram, et fluxerunt aquæ, et torrentes inundaverunt.* Porque hirió la piedra corrieron las aguas, hirióla Moisés, hirióla Dios: *Percussit virga bis silicem.* Hirió dos veces la piedra con la vara, con el temor del mal y el amor del bien; con el miedo del infierno y con el deseo del cielo; con el odio del pecado y con la afición de la virtud, y corrieron las aguas larguísimas tanto que bebió todo el pueblo y sus bestias. ¡Oh piedra sagrada, primero inmovible y dura, impenetrable y seca, rígida, grave, fría, estéril, infecunda, que mereciste hoy con tan espantosa mudanza ser trocada en agua dulce, amorosa, virtuosa, deleitable, copiosa y llena de gracia! De estas tus aguas beberán los hombres, las bestias, los hombres varoniles, sabios y de conocimiento, y también los brutales; los unos perseverando, los otros arrepintiéndose: *Quoniam percussit petram.* ¿No os parece que esta pecadora, que de sus ojos, ojos no ya, sino dos fuentes, destila tanta lluvia, que riega los pies de Cristo, por dolor, por

9   *Salm.* 77.
11   *Num.*, 20.

amor, por devoción, por congoja de la vida pasada,
sea aquella piedra resuelta en agua? Dura por obstinación: «Endurecieron su frente más que piedra»,
dice Jeremías. «Endurecerse ha su corazón como
5 guijarro», dice Job. Seca por crueldad: «Cayó, dice
Cristo, la semilla sobre la piedra, nació y secóse,
porque le faltó el humor». Fría, por indevoción:
«¿Por ventura correrán bien los caballos por lo em-
pedrado?», dice Amós. Pesada, por malicia: «¿Por
10 ventura de las peñas más empinadas de la cima del
Líbano saltará la nieve?», dice Jeremías. Infructuosa
en las buenas obras: «Queden inmovibles como
piedras», dijo Moisés, esto es, no den fruto. ¡Infelice
y miserable mujer! que por la poca guarda de la
15 vergüenza mujeril, rompiendo el freno del temor de
Dios, habiendo vivido licenciosamente, dejándose
llevar de la mocedad, de la belleza, del ocio, de los
deleites, fidelísimos pajes de Venus, de mujer se había trastocado en piedra, y a los ánimos castos da-
20 ñosa, y a los ojos limpios caída y despeñadero, tanto que encendía el deseo desordenado a amarla, con
aquel mirar lacivo y al talle de otra nueva Medusa,

---

4    Jerem., 5.
5    *Job*, 41.
6    Luc., 8.
9    *Amos*, 6.
11   Jerem., 18.
13   *Exod.*, 15.
22   *al talle*, y al modo.
22   *Medusa*. Una de las tres Gorgonas, hija de Forcos y la única
de ellas que era mortal y visible para los hombres. Era una hermo-

de hombres los volvía en piedras. Una de las pro-
piedades de la piedra es que tiene el fuego encerrado en el seno, y no se parece ni lo echáis de
ver si no herís el pedernal; frío parece, en la mano
le tomáis, no os quema; mas ¡ea! tocadlo con un 5
eslabón, saltarán centellas, enciende la yesca, res-
plandece el fuego, quema la mano; luego fuego había escondido, sino que no se echaba de ver.

¿No os parece que cada mujer profana es un pedernal, que enciende el secreto fuego de la insacia- 10
ble lujuria y de la torpeza? Fuego que no se apaga
con agua, como lo hace este nuestro natural; con el
vinagre, con la amargura y con la aspereza de la penitencia, con esto se apaga el fuego de la lujuria.
Las aguas dulces lo encienden, las salobres de las 15
lágrimas lo apagan.

Era cosa de ver y digna de espanto, dice Salomón, que cuando castigaba Dios aquel rey porfia-
do y cabezudo, uno de los tormentos y azotes que
le dió fué, que llovió Dios con grandes truenos, que 20
se rasgaban los cielos, corrían arrebatados rayos
por medio de las espesas y negras nubes, y se veían

---

sa joven de magnífica cabellera, que luego se trasformó en un haz
de horribles serpientes. La causa la atribuyen los mitólogos a su
orgullo en querer igualarse a Minerva y disputarla la supremacía de
la belleza; la diosa, encolerizada, la hizo objeto de aquella metamorfosis. Ovidio trae otra versión que dan como más verosimil, que es
la de haber profanado con Poseidon el templo de Atenea.

3 *no se parece*, por no se manifiesta o aparece. Vid.
18 *Sap,,* 29. y *Exod.*, 9.

los cárdenos fuegos venir por el aire rodeados de
humo, y con estampido mortal abrían los adarves,
y derrocaban las torres, y daban espantosas muertes a aquellos miserables, sepultándolos en las rui-
5 nas de sus propias casas, hallando juntamente muerte y sepultura. Bajaban a pesar y despecho del curso
de su naturaleza, y contra su calidad y condición,
mezclados agua y fuego; y el fuego se tenía fuerte
contra el agua, su enemiga, y contra su propia vir-
10 tud, y el agua se olvidaba de la facultad y naturaleza que tiene de apagar y como conjuradas y confe-
deradas en el daño y el mal común de aquella gente,caían juntas y hechas un cuerpo, la llama, la agua,
y el granizo.

15     Así, ni más ni menos, las mujeres profanas, las
rameras y revolcaderas del infierno tienen juntos
en sí el fuego de la lujuria, y las aguas de sus
contentos, y tienen en ellas alianza el fuego y el
agua. ¿Qué pecado no tienen las desventuradas?
20 «Falaces, y mentirosas, dice Salomón, traen la miel

---

2 *adarves*, «el espacio que ay en lo alto del muro de las forta-
lezas sobre que se leuantan las almenas, y quanto más ancho es el
muro; tanto es él más espacioso. Es nombre Arábigo». Covarr. *Tesoro
de la Leng. Cast.* De ahí el proverbio clásico. «Abájanse los *adarves*
y levántanse los muladares»,— «*Muro* y *adarve* son una mesmá cosa,
y asní antes dire muro que *adarve*». J. de Valdés, *Dial. de la lengua,*
pág. 146. «Clas. Cast.»

8 *Prov.*, 5.

16 *revolcaderas* trae la edic. *princeps.* En otras leo *revolcaderos,*
que creo incorrecto.

en los labios, más los fines y el remate, el dejo
que tienen es amargo; su lengua más delgada, que
cuchillo de dos cortes». ¿Quién entregó a Sansón
en manos de sus enemigos, sino una ramera, Dalida? Hácense parleras, chocarreras y aun blasfemas. 5
Si no, mirad lo que dijo el santo Job a su mujer
«Hablas como una de las locas mujeres», y allí vale
tanto como una de las profanas mujeres, que ni
tienen miedo, ni vergüenza a Dios ni al mundo.
Tórnanse importunas, enfadosas, intolerables. «Hallé 10
dice Salomón, una mujer más amarga que la muerte». Es la mujer lazo de cazadores, su corazón es
red barredera, sus manos son cadenas que lo atan
todo. Si no, mirad aquella famosa cortesana de Egipto, que por fuerza quería robar la castidad del san- 15
to mozo José; asióse a la ropa y no pudo desemba-
zarse de sus manos, hasta que le dejó la capa en
ellas. Quedan infames: «La mujer fornicaria, dice
Salomón, es como estiércol en la calle, que la hue-

---

1   *dejo*, «el fin con que alguna cosa acaba, y se dexa en cuanto
los sabores, lo último que queda de la cosa que se ha gustado, llamamos dexo: buen dexo o mal dexo». Covarrubias.

4   *Judic.*, 16.

5   *Dalida*, trae la ed. que sigo. El nombre bíblico, comúnmente
usado, es Dalila.

6   Job, 2.

10   *Eccl.*, 7.

13   *red barredera*, «Aquella cuya relinga inferior es arrastrada por
el fondo del agua para que lleve tras sí todos los peces que encuen-
tre». *Dicc. Acad*.

18   *Gen.*, 39.

19   *Eccle.*, 9.

llan cuantos pasan». Si no, mirad como tiznó su
honra aquella mala hembra Jezabel; con ser de linaje
y sangre real, por tener una vida de ramera. Que es
una metáfora que dijo Cristo a S. Juan en el Apo-
5 calipsi diciendo: «Escribe al Obispo de Tiatira y
dile, que ya yo conozco sus buenas obras, su fe y
caridad, su paciencia y sufrimiento, mas que tengo
contra él algunas cosillas que aunque no son muchas, no dejan de ser dignas de reprensión veo
10 que consiente que viva Jezabel, aquella profana
mujer, que engaña a muchos de mis siervos y los
enseña a fornicar». Tomó la metáfora y el nombre
de aquella mala reina Jezabel, mujer del rey Acab,
que hizo matar muchos profetas de Dios, porque
15 la reprendían sus ruines y profanas costumbres;
persiguió al santo profeta Elías, afeitóse para parecer bien a Jehú. Son astutas y maliciosas, saben
aprovecharse del tiempo y la ocasión, para ejecutar
sus ruines intentos. Si no mirad si lo supo hacer
20 así aquella rapaza, hija de la ramera Herodías,
amancebada con su mismo cuñado. «Corta es toda
malicia, que quisieredes buscar, dice Salomón, co-
tejada con la de una mujer». Y porque no nos alar-
guemos tanto, son livianas de sexo, voltizas, incons-
25 tantes, soberbias, pomposas, importunas, desdeño-

---

5   *Apoc.*, 2.
16   *4. Reg.*, 9.
22   *Ecle.*, 25
24   *voltizas*, por volubles.

sas, ajenas de amor, de fe, de consejo; crueles, que hacen homicidios tan horrendos, que más parecen furias del infierno que mujeres de la tierra. Tal era la Magdalena, como puerco sucia, vil como el lodo, insaciable como el fuego, como el viento mudable, como hoja ligera, pomposa como pavón, cruel como tigre, apretada como lazo, y fogosa como pedernal, y con todo eso se volvió en agua. ¿No la véis que tiene en los ojos un Nilo? Azudas de agua y aun cauces, y aun ríos abundantes vierten mis ojos, porque no guardaron tu ley, oh buen Señor, dice hoy María.

¡Oh qué dos Marías, cristianos, María Virgen y María penitente! Las dos lumbreras de nuestro cielo

---

6 *pavón*, es el pavo real. «Venie una mesnada rica de infançones:—Muchos de faysanes, los loçanos *pavones* venien bien garnidos». A de Hita. *Libro del Buen Amor*. t. II. pág. 82. Ed. Cejador. El Marqués de Villena, al enumerar las diversas «fechuras de los cuchillos», y explicar el modo de cortar «las aves, animalias de cuatro pies, pescados, frutas, y yerbas, que se comen por mantenimiento e plazer de sus sabores», comienza a hacerlo por el *pavón*. *Arte cisoria*. Ed. F. B. Navarro, Madrid-Barcelena, 1879.

9 *Azudas*, es sinónimo de *acequias*. «Açuda es una rueda por extremo grande, con que se saca agua de los ríos caudolosos para regar las huertas... Los Arábigos dizen ser vocablo suyo corrompido de *zud*, que vale açequia o regadera». Covarr. *Tes. de la Leng. Cast.* Además de esta significación que apunta Covarrubias tiene también la siguiente, que anota la Academia y es la que conviene al pasaje comentado: «Presa hecha en los ríos a fin de tomar agua para regar y para otros usos».—«Hasta que llegaron a la huerta del rey, donde a la sombra de una *azuda* hallaron muchos aguadores». Cervantes. Vid. *Dicc, de Autor.* «Parecían *azuda* en conversación, cuya música era peor que la de órganos destemplados», Quevedo, *Ib.*

terreno; María Virgen, la mayor, es nuestro sol; el sol jamás pierde de su luz; María, Madre de Dios, jamás padeció tinieblas de pecado, no supo qué cosa era noche de culpa, toda fué clara». *Gratia ple-*
5 *na*, le dice el ángel, toda llena de gracias, toda de resplandor, de méritos, de santidad, transparente, lúcida, *Mulier amicta sole*, dice San Juan en su Apocalipsis. Vi una mujer vestida del sol, cubierta de resplandores, cercada de rayos puros y lumbrosos.
10 Es el sol, es la mayor lumbrera, nunca pasó de pecado a gracia. Esta alumbra y gobierna el día a los hijos de la luz, a los que sirven al Hijo, y a esta Señora y gran Señora, y nuestra Señora y Madre suya.

15     Mas hay otra lumbrera menor, la luna, *Ut preesset nocti*, que preside a la noche, que da luz a las tinielas, Magdalena, que padece eclipse, que pasa de tinieblas a luz, de pecado a gracia, de enemiga a amiga, de piedra a fuente: *Ut preesset nocti*. Preside
20 a la noche, a los pecadores, a estos da luz para que sepan hacer penitencia. María preside a los inocentes, como el sol al día; Magdalena a los pecadores, como la luna a la noche.

    ¡Oh almas, las que con nombres fingidos y de al-
25 guna honestidad encubrís vuestra desventurada vida! ¿Qué es esto? ¿Qué pensáis hacer? ¿Cómo no miráis que todas las cosas de esta vida corren, vue-

---

27 *¿como no miráis?* etc. Todo este bello fragmento sería un dato más para corroborar la original tesis del erudito jesuíta P. Félix Ol-

lan y se pasan como sueño? ¿Cómo no os acordáis
del miserable fin de las que conocistes otro tiempo
gallardas, amadas, servidas, hermosas y miradas y
estimadas de todos? Llegó la vejez, pasáronse los
buenos días, deslustróse la tez del rostro, aróse la 5
frente tersa, nevóse el dorado cabello, la boca se
tornó negra y acabóse aquel buen parecer exterior,
marchitóse aquella frágil florecilla de la hermosura,
y dejáronlas sus amadores. No les quedó a las desventuradas sino la afrenta de su torpe vida, la he- 10
diondez de sus vicios, el cuerpo cargado de enfermedades incurables, rodeadas de pobreza, vestidas

medo acerca de *Las fuentes de «La vida es sueño»*, que no necesitó
Calderón ir a buscarlas en remotas literaturas ni en farragosas
obras de erudición, sino que le bastó vivir en su épocoa y recoger,
como psicólogo perspicaz que era, todo el ambiente ascético y
piadoso de su tiempo, en que la idea de que *la vida es un sueño* era
familiar y tema favorito de oradores, manuales de oración, guías
ascéticos, excitatorios, etc.

6 *aróse la frente.* ¿Qué acepción tiene *ararse?* Es excusado
acudir al *Diccionario de la Academia,* en el que aun quedan sin registrar una multitud de términos casticísimos y del más legítimo abolengo. Todo lo que la Academia nos dice acerca de *arar* es que significa «remover la tierra haciendo en ella surcos con el arado». Con
esto quedamos enterados; pero sin entender de seguro la significación que *ararse* tiene en este pasaje, que es la de *arrugarse* o *for-
marse arrugas a modo de surcos*, ni la que tiene en la frase «Ir *arando*
con la vista toda la querencia», de *Los Diálogos de la Montería,* donde el *arar con la vista* —según el P. J. Mir— es *registrar con los ojos,*
parándolos atenta y pausadamente por un campo, al tenor de lo que
ejecuta el arado en la tierra labrantía. He aquí dos textos clásicos
que enriquecen la significación de *arar* y *ararse* y que no deben
pasar inadvertidos.

de infinita miseria, colmadas de ajes, aborrecibles a
todo el mundo, odiosas aun a sí mismas, y nadie se
duele de ellas ni les tiene compasión, antes las es-
cupen y asquean todos; y lo que es el remate de
5 todas sus desdichas que dan consigo en un infierno,
de donde no salen jamás.

¡Desdichadas mujeres, pensad la vida vuestra y
acabad de mudarla! *¿Quem fructum habuistis tunc in
illis in quibus nunc erubescitis? Nam finis illorum
10 mors est.* ¿Qué fruto os trajo el mal que os aver-
güenza? Muerte, muerte, infierno, infierno, para
siempre, para siempre, es el fruto, el salario del
pecado, el galardón de vuestra rota vida. ¡Volved,
volved en vosotras, pecadoras! ¡acábese ya el pecar,
15 salgan las lágrimas que laven vuestras culpas! Mirad
que el pecar es de hombres, mas el perseverar es
de demonios; tomad un espejo en las manos y mi-
raos en él. Mirad esta pecadora tan moza como
vosotras, tan lozana, tan gallarda, tan servida, tan
20 dama, de noble sangre, de padres ilustres, rica y
con cien buenas partes, y con todas ellas infame,
profana, deshonesta, sin nombre, llena de afrenta;
mas, al fin, ésta no dilató la conversión, ni esperó

---

1    *ajes*, sinónimo de achaques habituales.

8    *Ad Rom.*, 6.

21    *cien buenas partes*, sinónimo de cualidades o méritos. Ocurre
a cada pasaje en los clásicos.—«Porque ella le adoraba por tener
*partes* para ser querido». G. Pérez de Hita, *Guerras civiles de Granada*, I, 5.—«Con todas estas *partes* que suelen ser el todo con que los
hombres suelen y pueden vivir contentos». *Quijote*, I, 83.

la penitencia para la vejez, sino luego, y las horas
se le hacían años, los momentos meses y los puntos
días. ¿A cuándo aguardáis, decid? Vos, miserable,
que decís que ahora sois moza, que es tiempo de
holgaros y de gozar de vos y de la flor de vuestros 5
años, que allá cuando seáis vieja os volveréis a
nuestro Señor Dios y haréis penitencia, ¿qué sabéis
si viviréis mañana? ¿Qué es de la firma que tenéis de
Dios que no os llevará sin penitencia? ¿Quién os
asegura que viviréis un año, ni un mes, ni un día, ni 10
una sola hora? ¿Cuántas habéis conocido tan mozas
como vos, tan gallardas como vos y tan damas y
servidas y ricas como vos, y que se prometían largos
años de vida, y que con esas vanas esperanzas vi-
vieron descuidadas, sin mirar a lo que les podía su- 15
ceder, y en su mayor soltura y cuando menos lo
pensaban y esperaban les llamó la muerte a la puerta, y las vendimió en agraz, y las vistes morir mozas,
hermosas y mal logradas, pues no supieron aprovecharse del tiempo que tuvieron? ¿Pues cómo no con- 20
sideráis que puede venir por vos lo que vino por
aquéllas, y que podéis morir vos, pues murieron
ellas, y que por ventura os irá peor a vos de lo que
les fué a ellas?

Mas sea así, que con vos se rompan las leyes de 25
la muerte y que la Parca os perdone y detenga el

8 *firma*. He aquí otro término con acepción nueva y distinta de
lo poco que la Academia nos dice acerca de *firma*, pues es evidente
que aquí significa promesa o voto.

cuchillo y no corte el estambre de la vida, sino que
lleguéis a igualar a Nestor en los años; decidme,
mujer engañada, y ¿quién os ha dado certeza de que
entonces haréis penitencia? ¿No sabéis que la cos-
5 tumbre en el pecado hace a un hombre insensible
para los tocamientos de Dios, y aquel mal hábito
del vicio se vuelve en los grandes pecadores en naturaleza, y así ya casi quedan inhábiles para el bien,
y para volverse a Dios, y parece que ya ni son su-
10 yos, ni son ellos los que mandan, ni hacen lo que
quieren, sino que sus pecados los han traído a tal
estado que los llevan como arrastrados y atados
donde menos querrían, y cautivos y esclavos, rendi-
dos a sus pasiones, mal de su grado, quieren lo que
15 su larga costumbre les manda, y como ésta es mala,
quieren el mal; y aunque vean el bien y conozcan
que lo es y que sería razón seguirlo, porque esto
les muestra la lumbrecilla medio muerta y ahumada
del candil de su entendimiento, con todo eso, no
20 tiene fuerza la voluntad para seguir tras el bien, ni
le dan licencia más de para sólo verlo y no gozarlo?
Y todo esto le viene a la miserable del alma de que
está tan entregada al vicio y ha ganado tanto do-
minio y superioridad el demonio, cruelísimo tirano,
25 sobre ella, que la guía y lleva por donde y a donde
quiere y manda, y veda y hace y deshace en la casa
y sentidos y potencias de un pecador, sin que halle

---

21   *más de*, por más que.

contradicción ni resistencia en nada de cuanto él quiere.

Dice el Apóstol, hablando de los tiempos cuando el demonio mandaba y era servido y obedecido en el mundo, en la primera que se escribió a los de Corinto: *Scitis quoniam cum gentes essetis ad simulacra muta prout ducebamini euntes*. Bien sabéis, hermanos, dice San Pablo, que cuando érades gentiles, cuando aún no habíades venido a la fe del Evangelio ni a la obediencia de Cristo, érades llevados al culto de los simulacros mudos. Es mucho de advertir que dice: *Prout ducebamini euntes*, como si dijera; íbades a donde quiera que os querían llevar, que toma la metáfora de una bestia que la llevan de cabestro, que sigue donde quiera que quiere el que la guía. Así, ni más ni menos, dice San Pablo, vosotros seguíades a cuantos os querían llevar a los ídolos, y no había simulacro que no adorásedes, ni

6  *Ad Cor*., 12.

8  *érades*, érais.

11  *Es mucho de;* es muy de advertir diríamos hoy; pero ya queda indicado que era muy frecuente esta forma sin apocopar.

«¡Ay! no le ofrezcas al desdén posada,
que es basilisco del que más le anida;
sino, *mucho* amorosa
labra en mi celo, cogerás tu rosa».

Villegas, *Oda IV*.

«Mas *es mucho de* sentir que, teniendo tan grandes motivos para confiar, somos muy flacos en esta parte». Granada, *Guía de Pec.*,225, ed. cit.

eterno, dime, Dios milagroso, dime, Sol de infinito
resplandor, Espejo de incomparable belleza, ¿qué es
esto que tan apasionado te muestras por mí, como
si te fuese la vida a ti? Oíte decir, Señor, un día:
5 *Nisi granum frumenti cadens in terram mortuum
fuerit, ipsum solum manet.* En verdad os digo, que
si el grano de trigo que cae en la tierra no muriere,
que se quedará solo.

¿Qué dices, ¡oh regalo de los hombres!, qué es lo
10 que dices? ¿Que si no mueres, que te quedarás solo?
¿Por ventura Daniel que, arrebatado y fuera de sí o
sobre sí, te vió en tu casa lleno de majestad y gloria,
y vió tu deseada presencia y miró la silla de estado
y sitial y las almohadas que te pusieron en que te
15 asentases, admirado y lleno de pasmo de lo que vía,
tendiendo los ojos por aquellas espaciosas y res-
plandecientes salas de la gloria, y mirando los pajes
de tu casa, lo continos que te estaban siempre delante mirando tu rostro celestial, y tu semblante
20 divino, atentos a ver lo que les mandas; y viendo
los de la cámara, los de la llave dorada, los que entran en tu riquísima recámara sin llamar a la puerta, y viendo los de la boca, los pajes y los demás
que te cantan, sirven y alaban siempre, sin hacer
25 pausa, queriéndolos contar, y viendo que siendo
tantos no podía, echando seso a montón, no dijo:

4  *Joan*, 12.
11  *Dan.*, 7.
18  *continos*, por prestos o atentos.

*Millia millium ministrabant ei, et decies millies cente-*
*na millia assistebant ei?* Vi, dice Daniel, que mil
millones de pajes servían al que estaba en el rico
trono; y no paraba en esto, sino que diez mil veces
cien millones de ángeles estaban en su presencia.
Pues si tantos millares te acompañan, ¿cómo dices,
buen Señor, que si no mueres que te quedarás solo?
¿Y antes que criases aquellos innumerables espíritus
celestiales faltábate compañía? ¿No hay en tu divina
esencia ese inefable terno de personas sacratísimas?
¿No hay el Padre, fuente y manantial y origen de
toda la divinidad? ¿No está ahí el Hijo, espejo sin
mancilla, resplandor y retrato del ser y de la hermosura del Padre? ¿No se halla ahí aquel dulce mar
de amor, aquel suave fuego, que enciende los ángeles, los apura, alimpia y enamora, que es el Espíritu
santísimo, que procede del Padre y del Hijo, como
de un solo principio? ¿Pues cómo dices, *ipsum solum*
*manet?* Confiésote, gran Dios, que no te entiendo,
no sé lo que quieres decir; oigo el sonido de las
palabras, mas no alcanzo el secreto de la sentencia.

Dices que si no mueres, que te quedarás solo.
Créolo, Señor, porque tú lo dices, y sabes cómo lo
dices y por qué lo dices, y eres verdad que no
puede faltar; mas yo no sé quién te mueve a decirlo. Veamos, Señor: ¿y por quién has de morir? ¿Es
quizá por mí? ¿Soy yo por quien has de caer en tie-

8   *antes que,* por antes de que.

rra, por quien has de perder la tierra? Dirásme que
sí. Pues veamos más, Dios mío, ¿por qué has de morir? ¿Es para que yo viva? ¿Es porque yo no muera?
Más me espanta esto. ¿Tu vida no es mejor que to-
5 das juntas cuantas tienen los hombres y los ángeles?
Sí. Pues, Dios pródigo, si en este nombre no te
ofendo, Dios manirroto, ¿qué es esto? ¡Que dés tal
vida por tal muerte, que así se llama mejor la mía!
Si te fuera de algún provecho mi persona, pasara;
10 mas, *servi inutiles sumus.* Somos siervos sin provecho. Si la dieras por algún amigo, no fuera tan pro-
digioso; mas, *Cum inimici essemus, reconciliati sumus
Deo per mortem Filii ejus.* ¿Siendo enemigos? Esto
espanta. ¡Oh! si ni fuéramos amigos ni enemigos,
15 mas al fin éramos buena gente, y siquiera ya, Señor, que morías moriste por los buenos. Eso menos:
*Commendat autem charitatem suam Deus in nobis:
quoniam cum adhuc peccatores essemus secundum
tempus, Christus pro nobis mortuus est.* Pecadores
20 éramos, luego malos, y por malos murió Dios. *Quis
audivit unquam talia horribilia?* Que muere el santo,
y vive el malo, que paga el bueno, y se escapa el
pecador. ¿Quién oyó caso tan horrendo jamás?
¿Quién lo pensó? ¿Quién lo esperó? ¿Quién lo soñó,
25 ni quién lo pudiera creer, si de tu santísima boca

---

10  Luc., 17.
13  *Rom.,* 5.
16  *Rom.,* 5.
21  *II Pet.,* 2.

no lo oyéramos, y no nos dijeras que *Nisi granum frumenti mortuum fuerit, ipsum solum manet?* Y es porque yo no me salvara, ni hubiera cielo para mí, sino hubiera muerte para ti; porque, *A quo quis superatus est, hujus servus est.* Luego pues el peca- 5
do nos venció y rindió, siervos suyos somos. *Servi estis ejus cui obeditis, sive peccati ad mortem, sive obedientiæ ad justitiam,* dice el bienaventurado San Pablo. Si obedecemos al pecado, esclavos suyos somos. Eramos todos pecadores, porque *Omnes in* 10
*Adam peccaverunt;* todos pecaron en Adán, luego todos éramos esclavos del pecado, siervos del de-
monio. Mas, *Servus non manet in domo in aeternum, filius autem manet,* dices tú, Señor. El esclavo no hereda la casa ni se introduce en la hacienda y ma- 15
yorazgo, ni queda en él el nombre, sino en el hijo, que es el heredero forzoso, el del nombre, el queri-
do y el que representa la persona del padre.

Luego si todos somos esclavos, no heredamos el cielo; tú, Señor, eres solo Hijo, luego solo heredero; 20
si no nos haces hijos, tú te quedarás solo en la casa de tu Padre y en tu gloria, como heredero forzoso, y nosotros quedaremos excluídos de la herencia y aherrojados en los calabozos y simas del infierno como esclavos. Luego grandíssima verdad dices, 25
Señor, en el *ipsum solum manet.* Que te quedarás

---

2   Jere., 18.
9   *Rom.,* 6.
21   *tú.* En otras ediciones falta el tú. La de Rivad. lo trae.

solo en tu gloria, si con tu muerte no me haces
hijo. Mueres tú porque, sembrándote en la tierra,
salgan de ti infinitas espigas con innumerables gra-
nos de fieles que se te parezcan; porque *Quæcumque*
5 *seminaverit homo hæc et metet. Quoniam qui seminat*
*in carne sua, de carne metet corruptionem: qui autem*
*seminat in spiritu, de spiritu metet vitam æternam.*
Cada uno coge conforme a la semilla que siembra.
El que siembra centeno, no se puede quejar de que
10 no cogió trigo; parecerse tienen la semilla y el fruto. El que siembra en su carne, cogerá corrupción,
porque la semilla fué corruptible y carnal.

Así le acaeció al hombre, que sembró en la tierra
de su cuerpo pecado y ofensa a Dios; quiso contra
15 su mandamiento coger divinidad, y cogió mortali-
dad y corrupción, porque era árbol y semilla de
muerte. Y así le dijeron después: *Spinas et tribulos*
*germinabit tibi.* El fruto que cogerás de esta sembrada será cardos y abrojos de trabajos; que no so-
20 lamente se cumplió a la letra de la tierra, que se
alzó a mayores, y si no es a palos, no hay sacarle el
tributo que debe al hombre, mas aun de la tierra
de nuestros cuerpos se entiende mejor y se cumple
más a nuestra costa, y con nuestro daño lo experi-
25 mentamos. Siembran los malos en pecado, y cogen

---

2 *porque,* conjunción final muy del agrado del autor, como se
habrá notado en el curso del texto.

4 *Ad Gal.,* 16.

17 *Gene.,* 3.

muerte: *Nam finis illorum mors est.* Y así, buen Señor, decías a Nicodemus: *Quod natum est ex carne,
caro est.* El león necesariamente ha de engendrar
león y el caballo caballo, y el hombre animal ha de
engendrar hombre animal. Por eso, *Genuit Adam* 5
*filios ad imaginem et similitudinem suam.* Engendró
Adán hijos tales como él; él carnal, ellos carnales;
él mortal, ellos mortales; él amigo de excusar su
pecado, ellos de jamás confesarlo. Al fin engendró-
los tales, que se le pareciesen: *Sicut et patres vestri,* 10
*ita et vos,* dijo San Esteban a los fariseos. Sois hijos
de tales padres.

Mas tú, Señor, que eres celestial, sembrándote,
era fuerza que naciesen de ti hijos espirituales, porque *Quod natum est ex spiritu, spiritus est.* Lo que 15
nace de espíritu, espíritu ha de ser. Y así, lo que de
nuestro padre terreno se nos pegó, que muriendo
él, morimos todos en él, y cogimos todos el fruto
de la muerte que sembró en la tierra de toda su
posteridad y descendencia; porque *Primus homo de* 20
*terra terrenus*: *qualis terrenus tales terreni.* Esto,
Señor Dios, en ti se remedió, y se reparó la quiebra y el defecto que allá se nos pegó, y renuncian-
do y aun muriendo a aquel padre de tierra, renaci-

---

1 *Ad Rom.*, 16.
2 Joan., 3.
5 *Gene.*, 5.
10 *Act.*, 7.
21 *I ad Cor.*, 15.

mos en ti y fuimos engendrados en hijos espirituales, dándonos de tu espíritu; porque así como el
sarmiento vive del espíritu y vida de la cepa y de
la raíz donde se sustenta, y tal es la vida del ramo,
5 cual lo fuere la de su tronco, así, Señor Jesucristo,
siendo tu vida espiritual y divina, y estando nosotros asidos y arraigados y unidos en ti, como en
nuestra cepa y tronco, de fuerza habemos de vivir
de tu vida y tener de tu espíritu. *Qui spiritu Dei*
10 *aguntur, ii sunt filii Dei.* Tu apóstol bienaventurado
San Pablo, como enseñado de tu mano, lo dijo muy
bien, como todo lo demás: *Si quis spiritum Christi
non habet, hic non est ejus.* Es cosa llana, que si no
tenemos el espíritu de Jesucristo, que no somos su-
15 yos; porque no estamos en él, ni vivimos por él, ni
nos alimentamos de su vida, ni le somos hijos espirituales. Y él no vino a tener hijos de carne y sangre: *Qui non ex sanguinibus, neque ex voluntate carnis, neque ex voluntate viri, sed ex Deo nati sunt.* Dió
20 potestad a los creyentes para hacerse hijos de Dios.
¡Gran liberalidad! Estos son hijos de espíritu y de
gracia.

Luego bien dice el apóstol San Pablo, que el que
no tiene el espíritu de Dios este tal no es suyo. *Si
25 autem Christus in vobis est, corpus quidem mortuum
est propter peccatum, spiritus vero vivit propter justi-*

---

8   *de fuerza*, por fuerza, necesariamente.
9   *Rom.*, 8.
18  Joan. 1.

*ficationem*. Hizo una galana consecuencia: si Jesucristo está en vosotros, siendo vida y vida espiritual, tenéis en vosotros mismos la raíz y el fundamento de la vida verdadera; luego, aunque el cuerpo muere por el pecado, que así se lo tasaron allá, *In quocumque enim die comederis ex eo, morte morieris*, y en comiendo, quedó el cuerpo condenado a que muriese, con todo eso, el espíritu, la parte mejor y más noble, vive por la justificación, porque está ajustado y arraigado en Jesucristo. Y si vive en él y de la vida de él, síguese que el espíritu vivo resucitará y levantará consigo a vida inmortal al cuerpo muerto, que cayó por el pecado. O que quiera decir: si vive Cristo en vosotros, aunque en tanta vida se ahogue y anegue el hombre viejo, el nuevo vivirá y lo consumirá y se lo sorberá, que no quede nada de él, digo, de aquel que muere por el pecado, cuya vida no es otra sino pecar.

Dice luego el Apóstol: *Si secundum carnem vixeritis, moriemini; si autem spiritu facta carnis mortificaveritis, vivetis*. Luego si como hijos de carne os tratárades, si viviéredes al apetito y gustos de vuestro cuerpo, si como tales sembráredes en la tierra de vuestro cuerpo vicios y pecados, sabed que mo-

5 *Genes.*, 2.

16 *se lo sorberá*, se sobrentiende *de tal modo*, para que se verifique la ilación consiguiente.

22 *viviéredes al apetito*. Va implícita la preposición *según* o *conforme a*, como en tantas frases elípticas de uso continuo en el trato y modo de expresarse corrientes.

riréis, porque *Quæcumque seminaverit homo, hæc et metet. Et qui seminat in carne sua, de carne metet corruptionem.* Mas si con el espíritu mortificáredes los apetitos y deseos carnales, sabed que viviréis.

5 Tiene razón, porque esa vida nos viene y se deriva del segundo Adán, Cristo, *secundus homo de cœlo, celestis.* El segundo hombre de cielo celestial, luego tiene vida de allá; allá hay vida sin muerte, luego tiene vida eterna; y estando nosotros en él, habe-

10 mos de vivir de su vida, luego tendremos vida eterna, porque *qualis cœlestis, tales cœlestes.* Hánse de parecer la semilla y el fruto.

1   *Ad Gal.,* 6.
6   *I Cor.,* 15.

# ÍNDICE

ESTE LIBRO SE ACABÓ DE IMPRIMIR
EN LA IMPRENTA DE LA CIUDAD LINEAL
EL DÍA XV DE SEPTIEMBRE
DEL AÑO MCMXXX

# Publicaciones "Espasa-Calpe"

EN BREVE SE INICIARÁ LA PUBLICACIÓN

DE

# HISTORIA DE LA LITERATURA ESPAÑOLA

DIRIGIDA POR

## DON RAMÓN MENÉNDEZ PIDAL

CON LA COLABORACIÓN DE

Alarcos (E.)
Alonso Cortés (Narciso)
Alonso (Dámaso)
Alonso (Amado)
Artigas (Miguel)
Azaña (Manuel)
Bohigas (Pedro)
Buceta (Erasmo)
Casalduero (J.)
Castro Guisasola (F.)
Castro (Américo)
Carriazo (J.)
Cossío (J. M. de)
Chabás (Juan)
Diego (Gerardo)
Díez-Canedo (E.)
Fernández Almagro (Melchor)
García de Diego (Vicente)
García Gómez (E.)
Giménez Caballero (E.)
Gili y Gaya (F.)
González Palencia (A.)
Guillén (Jorge)
Herrero (Miguel)

Hurtado (Juan)
Juliá (Eduardo)
Lomba (J. R.)
Marichalar (A.)
Menéndez Pidal (Sra.)
Milla (J)
Millares (A)
Morales (Luis)
Montesinos (J. F.)
Montoliu (M.)
Núñez Arenas (M.)
Onís (Federico de)
Reyes (Alfonso)
Rodríguez Pastor (A.)
Rodríguez Marín (F.)
Salinas (Pedro)
Sánchez Alonso
Sainz Rodríguez (P.)
Serrano y Sanz (M.)
Solalinde (Pedro)
Tamayo (J.)
Tenreiro (Ramón)
Valbuena (Angel)
Vallejo (J.)

## LA OBRA ESTARÁ COMPLETA EN ONCE TOMOS

### PIDA INFORMES